1

Contos Árabes

Pandorga

Direção Editorial
Silvia Vasconcelos
Produção Editorial
Equipe Editora Pandorga
Tradução e Organização
Juliana Garcia
Revisão
Carla Paludo
Capa e Projeto Gráfico
Lumiar Design

Texto de acordo com as normas do Novo Acordo Ortográfico da Língua Portuguesa
(Decreto Legislativo nº 54, de 1995)

Dados Internacionais de Catalogação na Publicação (CIP)
Elaborado por Vagner Rodolfo da Silva - CRB-8/9410

C763 Contos Árabes / vários autores ; organizado por Juliana Garcia ; traduzido por Juliana Garcia. - Cotia : Pandorga, 2021.
216 p. ; 13,5cm x 20,5cm.

Inclui índice.
ISBN: 978-65-5579-090-0
1. Literatura árabe. 2. Contos árabes. 2. Cultura árabe. I. Garcia, Juliana. II. Título.

2021-2099 CDD 892.7
CDU 821.411.21

Elaborado por Vagner Rodolfo da Silva - CRB-8/9410

Índice para catálogo sistemático:
1. Literatura árabe 892.7
2. Literatura árabe 821.411.21

2021
IMPRESSO NO BRASIL
PRINTED IN BRAZIL
DIREITOS CEDIDOS PARA ESTA EDIÇÃO À
EDITORA PANDORGA
THE SQUARE GRANJA VIANNA
RODOVIA RAPOSO TAVARES, KM 22 –
LAGEADINHO – COTIA – SÃO PAULO – BRASIL
06709-015
TEL. (11) 4612-6404

www.editorapandorga.com.br

Sumário

Introdução

Modelos de autoridade política, administrativa e religiosa, estruturas econômicas e judiciais, sistemas de educação, arte e arquitetura, ciência, medicina e literatura são alguns dos traços que provavelmente virão à mente se pensarmos na palavra "árabe". Contudo, definir exatamente o conceito da palavra é muito difícil: o mundo árabe moderno e sua memória coletiva não podem ser entendidos nem definidos sem que levemos em consideração todos os séculos de história por trás.

Quando falamos em Árabes, estamos falando, na verdade, de um complexo mosaico cultural, religioso e étnico que influenciou e enriqueceu diferentes regiões no passado e ajudou a mapear o mundo moderno.

Dada a extensão territorial das conquistas árabes e a quanto tempo elas remontam, é fácil de se imaginar a quantidade de culturas e etnias que tiveram contato com o antigo mundo. Persas, turcos, curdos, berberes, mongóis, muçulmanos, cristãos e judeus, todos construíram e contribuíram para diferentes partes do desenvolvimento dessa civilização.

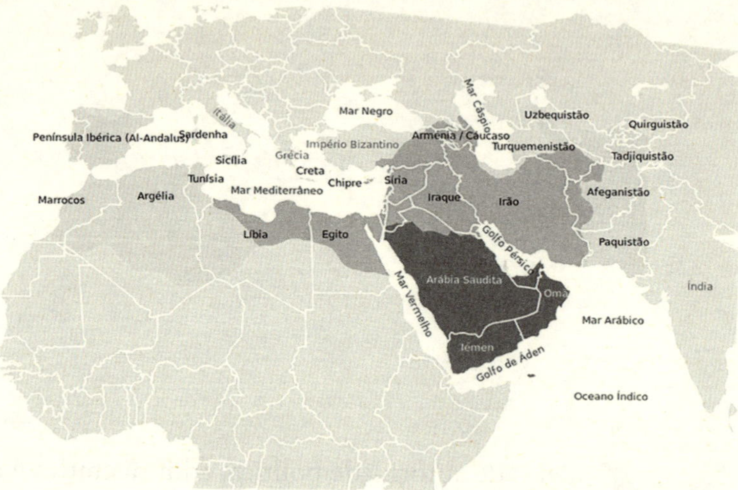

Fonte disponível em: https://mybrainsociety.wordpress.com/2017/09/11/islao/. Nota: o mapa retrata os países e fronteiras atuais, não os da época.

Os persas desempenharam um grande papel no surgimento das ciências e artes islâmicas, filosofia e teologia, e a influência da cultura persa está, inclusive, muito presente nos contos das *Mil e uma noites*. Ainda que se trate de povos de origens e línguas diferentes, muitas histórias desta coletânea se passam na antiga Pérsia, ou fazem alusão à região.

A tradição da literatura árabe remonta a cerca de dezesseis séculos na Península Arábica. Em certos pontos do desenvolvimento da civilização europeia, a cultura literária do Islã e seu meio de expressão árabe passaram a ser considerados não apenas modelos a serem copiados, mas muitas vezes também fontes diretas de inspiração para as comunidades intelectuais da Europa. Curiosamente, a palavra árabe usada para literatura é "Adab", que deriva de um significado de etiqueta e que implica educação, cultura e enriquecimento.

Ao falarmos em literatura popular árabe, é impossível não pensar nas *Mil e uma noites*, a famosa coleção de contos populares do Oriente Médio compilados em árabe durante a Idade de Ouro islâmica.

A obra foi coletada ao longo de muitos séculos por vários autores, tradutores e estudiosos da Ásia e do norte da África. Alguns contos têm suas raízes no folclore e literatura árabes, medievais, egípcios, indianos, persas e mesopotâmicos.

Trata-se de uma coletânea de contos independentes, unidos por um ponto em comum: a narrativa inicial em torno do comandante Shahryar e Sheherazade. Conta-se que Shahryar fora casado com uma mulher por quem tinha o mais profundo amor. Contudo, ao descobrir que sua esposa havia sido infiel durante suas ausências, ordena que a matem junto àqueles com quem ela o traiu. Decepcionado com as mulheres em geral e imaginando que todas fossem iguais a sua ex-esposa, ele decide se casar e mandar matar uma nova esposa a cada dia até que nenhuma outra candidata pudesse ser encontrada.

Sheherazade, a filha de seu vizir, fica sabendo dos planos do sultão e pede ao pai que a ofereça em casamento, alegando que tinha um plano para salvar a si mesma e às outras mulheres. Após o casamento, Sheherazade começa a contar ao marido uma história, mas a deixa incompleta e promete terminá-la no dia seguinte. As histórias são tão divertidas e o sultão fica tão ansioso para saber o fim delas, que ele adia a execução de Sheherazade dia após dia e finalmente abandona seu plano cruel.

Por volta do século XX, estudiosos ocidentais concordaram que as *Mil e uma noites* é uma coletânea de histórias populares transmitidas inicialmente de forma oral e que foram desenvolvidas durante vários séculos. Trata-se de uma obra de várias camadas, cujo material foi adicionado aleatoriamente em diferentes períodos e lugares.

A primeira tradução europeia das *Noites* foi feita por Antoine Galland (*Les Mille et Une Nuits, contes arabes traduits en français*). O texto principal de Galland era um manuscrito sírio de quatro volumes, mas as edições posteriores contêm muitas histórias de tradição oral que ele havia ouvido ao longo de sua vida e resolveu acrescentá-las. Algumas das histórias comumente associadas a *Mil e uma noites* como "Aladim" e "Ali Baba e os quarenta ladrões", não faziam parte da coleção em suas versões originais em árabe, mas foram adicionadas por Galland depois que ele as ouviu de um contador de histórias sírio.

É claro que a expressão *Mil e uma noites* se destinava meramente a indicar um grande número e as palavras só foram tomadas literalmente mais tarde, quando mais histórias foram somadas para compor o número.

Neste livro, tentamos trazer a você, leitor, um pouco da experiência mágica e extremamente rica da literatura árabe, seja através das lindas histórias selecionadas das *Mil e uma noites* ou de outros curiosos contos de autores árabes.

As mil e uma noites

Nas crônicas da antiga dinastia dos Sassanidae, que reinaram por cerca de quatrocentos anos – da Pérsia às fronteiras da China, além do próprio grande rio Ganges –, lemos os louvores de um de seus reis que foi eleito o melhor monarca de seu tempo. Seus súditos o amavam e seus vizinhos o temiam e, quando ele morreu, deixou seu reino em uma condição mais próspera e poderosa do que qualquer rei havia feito antes dele.

Seus dois filhos se amavam ternamente, e foi uma verdadeira tristeza para o mais velho, Schahriar, que as leis do império o proibissem de compartilhar seus domínios com seu irmão Schahzeman. Depois de dez anos, Schahriar isolou o país da Grande Tartária do Império Persa e fez seu irmão rei.

Agora o sultão Schahriar tinha uma esposa a quem amava mais do que todo o mundo e sua maior felicidade era cercá-la de esplendor e dar-lhe os melhores vestidos e as mais belas joias. Foi, portanto, com a mais profunda vergonha e tristeza que ele acidentalmente descobriu, depois de vários anos, que ela o havia enganado completamente, e toda a sua conduta acabou sendo tão ruim que ele se sentiu obrigado a cumprir a lei do país e ordenar ao grão-vizir que a matasse. A decepção foi tão forte que sua mente quase cedeu e ele declarou que tinha certeza de que, no fundo, todas as mulheres eram tão más quanto a sultana, se você pudesse desmascará-las, e que, quanto menos mulheres no mundo, melhor. Assim, todas as noites ele se casava com uma nova esposa e fazia com que ela fosse estrangulada na manhã seguinte diante do grão-vizir, cujo dever era fornecer essas noivas infelizes para o sultão. O pobre cumpria sua tarefa com relutância, mas não havia como escapar, e todos os dias via uma jovem casar e uma esposa ser morta.

Esse comportamento causou o maior horror na cidade, onde nada se ouvia além de gritos e lamentações. Em uma casa, havia um pai chorando pela perda de sua filha, em outra, uma mãe temendo pelo destino de sua filha; e, em vez das bênçãos que antes haviam sido acumuladas sobre a cabeça do sultão, o ar agora estava cheio de maldições.

O próprio grão-vizir era pai de duas filhas: a mais velha se chamava Sherazade e a mais nova, Dinarzade. Dinarzade não tinha dons especiais que a distinguissem das outras garotas, mas sua irmã era inteligente e corajosa no mais alto grau. Seu pai lhe dera os melhores professores em filosofia, medicina, história e artes plásticas e, além de tudo isso, sua beleza superava a de qualquer garota do reino da Pérsia.

Um dia, quando o grão-vizir estava conversando com sua filha mais velha, que era seu deleite e orgulho, Sherazade disse-lhe:

– Pai, tenho um favor a lhe pedir. Você me concederá?

– Não posso recusar nada – respondeu ele – que seja justo e razoável.

– Então ouça – disse Sherazade. – Estou determinada a impedir essa prática bárbara do sultão e a livrar as moças e mães do terrível destino que pesa sobre elas.

– Seria excelente – respondeu o grão-vizir –, mas como você pretende conseguir isso?

– Meu pai – respondeu Sherazade –, é você que deve dar ao sultão uma nova esposa todos os dias, e eu lhe imploro, por todo o carinho que tem por mim, que permita que a honra recaia sobre mim.

– Você está louca? – gritou o grão-vizir, recuando horrorizado. – O que colocou tal coisa em sua cabeça? Você já devia saber o que significa ser a noiva do sultão!

– Sim, meu pai, eu sei – respondeu ela – e não tenho medo de pensar nisso. Se eu falhar, minha morte será gloriosa e, se eu tiver sucesso, terei prestado um grande serviço a meu país.

– Não adianta – disse o grão-vizir –, jamais consentirei. Se o sultão quisesse que eu enfiasse uma adaga em seu coração, eu teria de obedecer. Que tarefa para um pai! Ah, se você não teme a morte, tema de qualquer maneira a angústia que você me causaria.

– Mais uma vez, meu pai – disse Sherazade –, você me concederá o que peço?

– O quê, você ainda está pensando nisso? – exclamou o grão-vizir. – Por que você está tão determinada a decretar sua própria ruína?

Mas a donzela se recusou terminantemente a atender às palavras do pai e, por fim, em desespero, o grão-vizir foi obrigado a ceder e, triste, foi ao palácio dizer ao sultão que na noite seguinte ele o traria Sherazade.

O sultão recebeu a notícia com grande espanto.

– Como você se decidiu – perguntou ele – a sacrificar sua própria filha a mim?

– Senhor – respondeu o grão-vizir –, é o desejo dela. Mesmo o triste destino que a aguarda não conseguiu fazê-la mudar de ideia.

– Que não haja engano, vizir – disse o sultão. – Lembre-se de que você mesmo terá de tirar a vida dela. Se recusar, juro que sua cabeça pagará pela pena.

– Senhor – respondeu o vizir –, custe o que custar, vou obedecê-lo. Embora seja um pai, também sou seu súdito.

Então o sultão disse ao grão-vizir que ele poderia trazer sua filha assim que quisesse.

O vizir levou a notícia a Sherazade, que a recebeu como se fosse a coisa mais agradável do mundo. Ela agradeceu calorosamente ao pai por ceder aos seus desejos e, ao vê-lo ainda curvado pela dor, disse-lhe que esperava que ele nunca se arrependesse de ter permitido que ela se casasse com o sultão. Então ela foi se preparar para o casamento e implorou que sua irmã Dinarzade fosse chamada para falar com ela.

Quando elas ficaram sozinhas, Sherazade se dirigiu a ela assim:

– Minha querida irmã, quero sua ajuda em um assunto muito importante. Meu pai vai me levar ao palácio para celebrar meu casamento com o sultão. Quando sua alteza me receber, eu lhe implorarei, como um último favor, que deixe você dormir em nosso quarto, para que eu possa ter sua companhia durante a última noite em que estarei viva. Se, como espero, ele me conceder meu desejo, certifique-se de me acordar uma hora antes do amanhecer e falar comigo nestas palavras: "Minha irmã, se você não está dormindo, eu imploro, antes do nascer do sol, que me conte uma de suas histórias encantadoras". Então começarei e espero, dessa forma, livrar o povo do terror que reina sobre ele.

Dinarzade respondeu que faria com prazer o que sua irmã desejasse.

Quando chegou a hora habitual, o grão-vizir conduziu Sherazade ao palácio e deixou-a sozinha com o sultão, que a mandou levantar o véu e ficou maravilhado com a sua beleza, mas, vendo os olhos dela cheios de lágrimas, ele perguntou o que estava acontecendo.

– Senhor – respondeu Sherazade –, tenho uma irmã que me ama tanto quanto eu a amo. Conceda-me o favor de deixá-la dormir esta noite no mesmo quarto, pois é a última vez que ficaremos juntas.

Schahriar consentiu com o pedido de Sherazade e Dinarzade foi chamada.

Uma hora antes do amanhecer, Dinarzade acordou e exclamou, como havia prometido: "Minha irmã, se você não está dormindo, eu imploro, antes do nascer do sol, que me conte uma de suas histórias encantadoras. É a última vez que eu terei o prazer de ouvi-la".

Sherazade não respondeu à irmã, mas voltou-se para o sultão.

– Sua alteza permitirá que eu faça o que minha irmã pede?

– De boa vontade – respondeu ele.

Então Sherazade começou.

Por muitas noites, Sheherazade seguiu maravilhando o sultão com suas histórias, sempre interrompendo-as antes do fim para que ela pudesse terminá-las no dia seguinte e, assim, lhe fosse concedido mais um dia de vida. Após tanto tempo, prorrogando sua decisão, o sultão acaba desistindo de seu plano original e a vida de Sherazade é poupada.

O mercador e o gênio

(de *As mil e uma noites*. Andrew Lang, 1898)

Nas Mil e uma noites, *o sultão, descobrindo uma traição de sua mulher, desaponta-se com todas as mulheres do reino e decide, em vingança, casar-se diariamente com uma e mandar executá-la no dia seguinte. Sherazade é a filha do grão-vizir e arquiteta um plano para dar um fim a essa situação. Para isso, ela conta suas histórias para o sultão dia após dia, até que ele desista de seu plano.*

A primeira história narrada por Sherazade começa assim:

Senhor, era uma vez um comerciante que possuía grande riqueza em terras e mercadorias, bem como em dinheiro disponível. De vez em quando, era obrigado a fazer viagens para organizar seus negócios. Um dia, tendo que percorrer um longo caminho até muito longe de casa, montou em seu cavalo, levando consigo uma pequena carteira na qual havia colocado alguns biscoitos e tâmaras, porque teria que passar pelo deserto, onde não havia comida. Ele chegou sem nenhum contratempo e, tendo encerrado seus negócios, partiu em sua viagem de retorno. No quarto dia de viagem, com o calor do sol muito forte, o mercador saiu da estrada para descansar sob algumas árvores. Ele encontrou ao pé de uma grande nogueira uma fonte de água límpida e corrente. Amarrando seu cavalo a um galho de árvore, o homem sentou-se perto da fonte, depois de ter tirado de sua carteira algumas de suas tâmaras e biscoitos. Quando terminou de comer, lavou o rosto e as mãos na fonte.

Enquanto estava ocupado tentando comer, o mercador viu um gênio enorme, vermelho de raiva, vindo em sua direção, com uma cimitarra na mão.

– Levante-se – gritou ele com uma voz terrível – e deixe-me matá-lo como você matou meu filho!

Ao proferir essas palavras, o gênio deu um grito forte. O comerciante, apavorado tanto com a face horrenda do monstro quanto com suas palavras, respondeu-lhe trêmulo:

– Ai de mim, meu bom senhor, o que posso ter feito para merecer a morte?

– Eu irei matá-lo – repetiu o gênio – como você matou meu filho.

– Mas – disse o comerciante – como posso ter matado o seu filho? Não o conheço e nem mesmo o vi.

– Quando você chegou aqui, você não se sentou no chão? Você não tirou algumas tâmaras da carteira e, enquanto comia, não atirou os caroços por aí?

– Sim – disse o comerciante –, certamente fiz isso.

– Então – disse o gênio – eu lhe digo que você matou meu filho, pois, enquanto você estava atirando os caroços nas pedras, meu filho passou e um deles o atingiu no olho e o matou. Então, eu o matarei.

– Ah, senhor, me perdoe! – gritou o comerciante.

– Não terei piedade de você – respondeu o gênio.

– Mas eu matei seu filho sem querer, então imploro que poupe minha vida.

— Não — disse o gênio —, vou matá-lo como você matou meu filho. — E, assim dizendo, agarrou o comerciante pelo braço, jogou-o no chão e ergueu seu sabre para decepar sua cabeça.

O comerciante, protestando sua inocência, lamentou o que seria de sua esposa e filhos e tentou lamentavelmente evitar seu destino. O gênio, com sua cimitarra erguida, esperou até que ele terminasse, mas não foi nem um pouco tocado.

Sherazade, a essa altura, vendo que já era dia e sabendo que o sultão sempre se levantava muito cedo para comparecer ao conselho, parou de falar.

— Realmente, irmã — disse Dinarzade —, esta é uma história maravilhosa.

— O resto é ainda mais maravilhoso — respondeu Sherazade. — E vocês veriam isso se o sultão me permitisse viver mais um dia e me desse permissão para contar a vocês na próxima noite.

Schahriar, que ouvia Sherazade com prazer, disse a si mesmo: "Esperarei até amanhã, posso mandar matá-la quando ouvir o final de sua história".

Todo esse tempo o grão-vizir estava desesperado, mas ele ficou muito feliz quando viu o sultão entrar na câmara do conselho sem dar a terrível ordem que esperava.

Na manhã seguinte, antes do raiar do dia, Dinarzade disse à irmã:

— Querida irmã, se você está acordada, rogo que continue com sua história.

O sultão não esperou que Sherazade pedisse sua licença.

– Termine – disse ele – a história do gênio e do comerciante. Estou curioso para saber o final.

Então Sherazade continuou com a história. Isso acontecia todas as manhãs. A sultana contava uma história, e o sultão a deixava viver para terminá-la. E assim foi naquela manhã.

Quando o comerciante viu que o gênio estava decidido a cortar sua cabeça, ele disse:

– Mais uma palavra, eu imploro. Conceda-me mais algum tempo, apenas para que eu vá para casa e possa me despedir de minha esposa e filho. Quando eu tiver feito isso, voltarei aqui, e você poderá me matar.

– Mas – disse o gênio – se eu conceder o tempo que você pede, temo que você não volte.

– Dou-lhe minha palavra de honra – respondeu o comerciante – que voltarei sem falta.

– Quanto tempo você precisa? – perguntou o gênio.

– Peço-lhe um ano de graça – respondeu o comerciante. – Eu prometo que daqui a doze meses estarei esperando sob estas árvores para me entregar a você.

Com isso, o gênio o deixou perto da fonte e desapareceu.

O mercador, recuperado do susto, montou em seu cavalo e seguiu seu caminho.

Quando ele voltou para casa, sua esposa e seus filhos o receberam com grande alegria, mas, em vez de abraçá-los, ele começou a chorar tão amargamente que eles logo adivinharam que algo terrível estava acontecendo.

– Diga-nos, eu lhe peço – disse sua esposa –, o que aconteceu.

– Ai de mim! – respondeu o marido. – Tenho apenas um ano de vida.

Então ele contou o que havia acontecido entre ele e o gênio e como ele havia dado sua palavra sobre voltar no final de um ano para ser morto. Quando ouviram essa triste notícia, todos ficaram desesperados e choraram muito.

No dia seguinte, o comerciante começou a resolver seus negócios e, antes de tudo, a pagar suas dívidas. Ele deu presentes aos seus amigos e grandes esmolas aos pobres, colocou seus escravos em liberdade e proveu para sua esposa e filhos. O ano logo passou e ele foi obrigado a partir. Quando tentou se despedir, foi dominado pela tristeza e com dificuldade se afastou. Por fim, ele alcançou o lugar onde vira o gênio pela primeira vez, no mesmo dia em que ele havia indicado. Ele sentou-se à beira da fonte, onde aguardou o gênio em terrível suspense.

Enquanto esperava, um velho conduzindo uma corça veio em sua direção. Eles se cumprimentaram, e então o velho disse a ele:

– Posso perguntar, irmão, o que o trouxe a este lugar deserto, onde existem tantos gênios do mal? Alguém poderia imaginar que era para ver essas belas árvores, mas é um lugar perigoso para ficar parado por muito tempo.

O comerciante contou ao velho por que ele fora obrigado a ir até lá, que o ouviu com espanto.

– Que extraordinário. Eu gostaria de ser uma testemunha de seu encontro com o gênio – dizendo isso, sentou-se ao lado do comerciante.

Enquanto conversavam, outro velho apareceu, seguido por dois cachorros pretos. Ele cumprimentou-os e perguntou o que estavam fazendo naquele lugar. O velho que guiava a corça contou-lhe a aventura do mercador e do gênio. Mal ouvira a história e o segundo velho também decidiu ficar lá para ver o que aconteceria. Ele sentou-se ao lado dos outros e estavam conversando quando um terceiro velho chegou. Este perguntou por que o comerciante que estava com eles parecia tão triste. Eles lhe contaram a história, e ele também resolveu ver o que aconteceria entre o gênio e o comerciante, então esperou com o resto.

Eles logo viram ao longe uma fumaça densa, como uma nuvem de poeira. Essa fumaça se aproximava cada vez mais e então, de repente, sumiu. Logo apareceu o gênio, que, sem falar com eles, aproximou-se do comerciante com a espada na mão e, segurando-o pelo braço, disse:

– Levante-se e deixe-me matá-lo como você matou meu filho.

O comerciante e os três velhos começaram a chorar.

Então o velho que guiava a corça atirou-se aos pés do gênio e disse:

– Ó príncipe dos gênios, imploro que contenha sua fúria e me escute. Vou lhe contar minha história e a da corça que eu tenho comigo e, se você a achar mais maravilhosa do que a do comerciante que você está prestes a matar, espero que me conceda um terço de sua punição.

O gênio pensou por algum tempo e então disse:

– Muito bem, estou de acordo.

A HISTÓRIA DO PRIMEIRO VELHO E DOS HINDUS

Vou agora começar a minha história, disse o velho. Por favor, venham aqui.

Essa corça que você vê comigo é minha esposa. Não temos filhos, portanto, adotei o filho de uma serva favorita e me determinei a torná-lo meu herdeiro.

Minha esposa, porém, tinha grande antipatia tanto pela mãe quanto pelo filho, o que ela escondeu de mim até tarde demais. Quando meu filho adotivo tinha cerca de dez anos, fui obrigado a fazer uma viagem. Antes de ir, confiei à minha esposa sua guarda e implorei que ela cuidasse dele durante minha ausência, que durou um ano inteiro. Durante esse tempo, ela estudou magia a fim de realizar um plano perverso. Quando ela havia aprendido o suficiente, ela levou meu filho para um lugar distante e o transformou em um bezerro. Então ela o deu a um de meus homens e disse-lhe para cuidar do bezerro que ela havia comprado. Ela também transformou a serva em uma vaca, que ela também enviou aos meus homens.

Quando voltei, perguntei sobre a minha serva e a criança.

– Sua serva está morta – disse ela – e, quanto ao seu filho, não o vejo há dois meses e não sei onde está.

Fiquei triste ao saber da morte da minha ajudante, mas, como meu filho havia apenas desaparecido, achei que logo deveria encontrá-lo. Oito meses, entretanto, passaram-se e não obtive nenhuma notícia dele. Veio, então, a festa de Bairam.

Para comemorar, ordenei ao meu administrador que me trouxesse uma vaca muito gorda para ser sacrificada no ritual. A vaca que ele trouxe era minha infeliz serva. Eu a amarrei, mas, quando estava prestes a matá-la, ela começou a se mexer de forma lamentável, e vi que seus olhos estavam marejados. Aquilo me pareceu extraordinário e, sentindo um pouco de pena, ordenei ao administrador que a levasse embora e trouxesse outro animal no lugar. Minha esposa, que estava presente, zombou de minha compaixão, o que tornou sua malícia inútil.

– O que você está fazendo? Mate essa vaca. É a melhor que temos para sacrificar.

Para agradá-la, tentei novamente, mas, mais uma vez, as lágrimas do animal me desarmaram.

– Leve-a embora – disse ao administrador – e mate-a. Eu não consigo fazer isso.

O meu administrador a matou, mas, ao esfolá-la, descobriu que ela não passava de ossos, embora parecesse muito gorda. Eu fiquei, obviamente, chateado.

– Fique com ela para você – disse ao administrador – e, se você tiver um bezerro gordo, traga-o no lugar dela.

Em pouco tempo, ele trouxe um bezerro muito gordo, que, embora eu não soubesse, era meu filho. Ele se jogou aos meus pés, com a cabeça no chão, como se quisesse me provocar pena e me implorar para não tirar sua vida.

Fiquei ainda mais surpreso e comovido com essa ação do que com as lágrimas da vaca.

– Vá – disse ao administrador – e leve de volta este bezerro, tome muito cuidado com ele e traga-me outro em seu lugar imediatamente.

Assim que minha esposa me ouviu falar isso, ela imediatamente gritou:

– O que você está fazendo, marido? Não sacrifique nenhum bezerro senão este.

– Esposa – respondi –, não vou sacrificar este bezerro. Apesar de todas as objeções que ela fez, permaneci firme.

Mandei matar outro bezerro e aquele foi levado embora. No dia seguinte, o administrador pediu para falar comigo em particular.

– Eu vim – disse ele – para lhe dar uma notícia que acho que você vai gostar de ouvir. Tenho uma filha que conhece magia. Ontem, quando estava trazendo de volta o bezerro que você se recusou a sacrificar, percebi que ela sorriu e, logo em seguida, começou a chorar. Eu perguntei por que ela fazia isso. Ela disse: "Pai, este bezerro é filho de nosso mestre. Sorrio de alegria ao vê-lo ainda vivo e choro ao pensar em sua mãe, que foi sacrificada ontem na forma de uma vaca. Essas mudanças foram feitas pela esposa do nosso mestre, que odiava a mãe e o filho".

Deixo-vos imaginar o meu espanto ao ouvir isso. Fui imediatamente com o administrador falar com sua filha. Primeiro fui ao estábulo ver o meu filho, e ele respondeu com seu jeito bobo a todos os meus carinhos. Quando a filha do administrador veio, perguntei-lhe se ela poderia trazer meu filho de volta à sua forma adequada.

– Sim, posso – respondeu ela –, com duas condições: uma é que ele se case comigo e a outra é que me deixe punir a mulher que o transformou em bezerro.

– À primeira condição – respondi –, concordo com todo o meu coração e darei a você um amplo dote. À segunda também concordo, apenas imploro que poupe a vida dela.

– Sim, farei isso – respondeu ela. – Vou tratá-la como ela tratou seu filho.

Então ela pegou um vaso de água e pronunciou sobre ele algumas palavras que eu não entendi. Ao jogar a água sobre meu filho, ele se tornou imediatamente um jovem mais uma vez.

– Meu filho, meu filho querido! – exclamei, abraçando-o. – Esta gentil donzela salvou você de um terrível encantamento, e estou certo de que, por gratidão, você se casará com ela.

Ele consentiu com alegria, mas, antes de se casarem, a jovem transformou minha esposa em uma corça, e é ela que você vê na sua frente. Queria que ela tivesse esta forma, em vez de uma diferente, para que pudéssemos vê-la na família sem repugnância.

Desde então, meu filho ficou viúvo e foi viajar. Agora vou em busca dele e, não querendo confiar minha esposa aos cuidados de outras pessoas, vou levá-la comigo. Não é um conto maravilhoso?

– É verdade – disse o gênio – e por isso eu concedo a você um terço da punição deste comerciante.

Quando o primeiro velho terminou sua história, o segundo, que conduzia os dois cachorros negros, disse ao gênio:

– Vou lhe contar o que aconteceu comigo e tenho certeza de que você vai achá-la ainda mais surpreendente do que aquela que você acabou de ouvir. Mas, quando eu contar, você vai me conceder também um terço da punição do comerciante?

– Sim – respondeu o gênio –, desde que sua história ultrapasse a da corça.

Com este acordo, o segundo velho começou sua história.

A HISTÓRIA DO SEGUNDO VELHO E DOS DOIS CÃES NEGROS

Grande príncipe dos gênios, você deve saber que somos três irmãos – esses dois cães negros e eu. Nosso pai morreu, deixando a cada um de nós mil moedas de ouro. Com essa soma, todos os três assumimos a mesma profissão e nos tornamos comerciantes. Pouco tempo depois de abrirmos nossas lojas, meu irmão mais velho, um desses dois cães, resolveu viajar para o exterior por causa de mercadorias. Com essa intenção, vendeu tudo o que tinha e comprou mercadorias adequadas às viagens que estava prestes a fazer. Ele partiu e ficou fora um ano inteiro. No final desse tempo, um mendigo veio à minha loja.

— Bom dia — disse eu.

— Bom dia — respondeu ele. — É possível que você não me reconheça?

Então eu olhei para ele de perto e vi que ele era meu irmão. Fiz com que ele entrasse em minha casa e perguntei-lhe como havia se saído em seu empreendimento.

— Não me questione, apenas olhe para mim: isso é tudo o que tenho. Falar sobre isso seria apenas renovar minha dificuldade em contar todos os infortúnios que se abateram sobre mim em um ano e me trouxeram a este estado.

Fechei minha loja e o levei ao banho, dando-lhe minhas vestes mais lindas. Examinei minhas contas e descobri que havia dobrado meu capital, isto é, que agora possuía duas mil moedas de ouro. Dei metade ao meu irmão, dizendo:

— Agora, irmão, pode esquecer suas perdas.

Ele as aceitou com alegria e vivemos juntos como antes.

Algum tempo depois, meu segundo irmão desejou também vender seu negócio e viajar. Meu irmão mais velho e eu fizemos tudo o que podíamos para dissuadi-lo, mas foi inútil. Ele se juntou a uma caravana e partiu. Voltou no final de um ano no mesmo estado de nosso irmão mais velho. Eu cuidei dele e, como tinha mil moedas de ouro sobrando, dei-as para que reabrisse sua loja.

Um dia, meus dois irmãos vieram até mim para propor que fizéssemos uma viagem e comércio. No início, recusei-me a ir.

— Vocês viajaram e o que conseguiram com isso? — retruquei.

Mas eles me procuraram várias vezes e, após ter resistido por cinco anos, finalmente cedi. Quando eles fizeram sua preparação e começaram a comprar as mercadorias de que precisávamos, descobriram que haviam gasto todas as mil moedas de ouro que eu lhes havia dado. Eu não os repreendi. Dividi minhas seis mil moedas de ouro com eles, dando mil para cada um e ficando com mil para mim, e as outras três mil moedas enterrei em um canto de minha casa. Compramos mercadorias, carregamos um navio com elas e partimos com vento favorável.

Após dois meses de navegação, chegamos a um porto, onde desembarcamos e fizemos uma grande venda. Então compramos a mercadoria do país e estávamos prestes a navegar mais uma vez quando fui parado na praia por uma mulher bonita, embora mal vestida. Ela veio até mim, beijou minha mão e implorou que eu me casasse com ela e a levasse a bordo. A princípio recusei, mas ela implorou tanto e prometeu ser uma esposa tão boa para mim que finalmente consenti. Comprei vestidos lindos para ela e, depois de nos casarmos, embarcamos e zarpamos. Durante a viagem, descobri tantas qualidades boas em minha esposa que comecei a amá-la cada vez mais, mas meus irmãos começaram a ter ciúmes de minha prosperidade e começaram a conspirar contra minha vida. Uma noite, quando estávamos dormindo, eles jogaram minha esposa e eu no mar. Minha esposa, porém, era uma fada, por isso, não deixou eu me afogar, mas me transportou para uma ilha. Quando o dia amanheceu, ela me disse:

– Quando te vi na beira-mar, gostei muito de ti e quis experimentar a tua boa índole, por isso, apresentei-me com o disfarce que viste. Agora te recompensei salvando a tua vida. Mas estou muito zangada com seus irmãos e não descansarei enquanto não tirar suas vidas.

Agradeci à fada por tudo o que ela fez por mim, mas implorei que não matasse meus irmãos.

Acalmei sua ira e, em um instante, ela me transportou da ilha onde estávamos para o telhado de minha casa, desaparecendo logo depois. Desci, abri as portas e desenterrei as três mil moedas de ouro que havia enterrado. Fui até o local onde ficava minha loja, abri-a e recebi de meus companheiros comerciantes os parabéns pela minha volta. Quando retornei para casa, vi dois cachorros negros que vieram ao meu encontro com rostos tristes. Fiquei muito surpreso, mas a fada reapareceu e me disse:

– Não se surpreenda ao ver esses cães; eles são seus dois irmãos. Eu os condenei a permanecer por dez anos nessas formas.

Depois de me dizer onde eu poderia ter notícias dela, ela desapareceu.

Os dez anos quase se passaram e estou no caminho para encontrá-la. Durante minha passagem, encontrei este mercador e o velho com a corça e fiquei com eles.

Esta é minha história, ó príncipe dos gênios! Você não achou maravilhosa?

– Sim, de fato – respondeu o gênio. – E eu lhe darei um terço da punição do comerciante.

Então o terceiro velho fez ao gênio o mesmo pedido que os outros dois haviam feito, e o gênio lhe prometeu o último terço da punição do comerciante se sua história ultrapassasse as outras.

Então ele contou sua história ao gênio, mas eu não posso contar o que foi, porque eu não sei.

Mas sei que foi ainda mais maravilhosa do que qualquer uma das outras, de modo que o gênio se espantou e disse ao terceiro velho:

– Vou conceder a você um terço do castigo do comerciante. Ele deve agradecer a vocês três por terem se interessado em ajudá-lo. Se não fosse por vocês, ele não estaria mais aqui.

Dizendo isso, ele desapareceu, para grande alegria de todos. O comerciante não deixou de agradecer aos amigos e cada um seguiu seu caminho. O comerciante voltou para sua esposa e filhos e passou o resto de seus dias feliz com eles.

A caravana e a história da cegonha califa

(Wilhelm Hauff, 1826)

Outrora, a cidade de Bagdá era governada por um jovem califa que era amado por todo o seu povo. Seu melhor amigo era o grão-vizir. Um dia, um misterioso comerciante chegou ao palácio e eles mal podiam imaginar o que estava por vir.

A CARAVANA

Era uma vez, uma grande caravana que marchava pelo deserto. Na vasta planície, onde não se via nada além de areia e o céu, já se ouviam, ao longe, os sininhos dos camelos. Uma espessa nuvem de poeira que os precedia anunciava sua aproximação, e uma rajada de vento abria caminho entre as nuvens, mostrando seus belos trajes.

Foi assim que a caravana se revelou a um homem que caminhava pelo deserto. Ele estava montado em um belo corcel árabe, coberto com uma pele de tigre; sinos de prata estavam suspensos na faixa vermelho-escura, e na cabeça do cavalo ondulava uma pluma de penas de garça. O homem tinha uma aparência majestosa, e o seu traje correspondia ao esplendor de seu cavalo: um turbante branco, ricamente decorado com ouro, adornava sua cabeça, seu hábito e calças largas eram de um vermelho brilhante, e uma espada curva com um cabo magnífico pendurado do lado dele. O turbante, junto com os olhos escuros que brilhavam por baixo de suas sobrancelhas espessas e a longa barba que caía sob seu nariz arqueado, dava-lhe uma expressão selvagem e ousada.

O homem seguiu avançando até ficar próximo da linha da frente da caravana. Era tão incomum ver um homem solitário viajando pelo deserto que o guarda, temendo um ataque, levantou suas lanças.

– O que você quer? – exclamou o cavaleiro, ao se ver recebido de maneira tão hostil. – Você imagina que um único homem atacaria sua caravana?

Envergonhados de sua precipitação, os guardas baixaram suas lanças, e seu líder cavalgou até o estranho e pediu para saber seu nome.

– Quem é o senhor desta caravana? – perguntou o homem.

– Ela não pertence a nenhum senhor – respondeu o interrogado –, mas a vários mercadores, que marcham de Meca para seu país natal, e a quem escoltamos através do deserto, pois, muitas vezes, canalhas de todo tipo ameaçam aqueles que viajam aqui.

– Então leve-me aos mercadores – respondeu o estranho.

– Isso não será possível agora – replicou o outro –, pois devemos prosseguir sem demora, e os mercadores estão, pelo menos, quatrocentos metros atrás. Se, no entanto, você quiser cavalgar comigo até que paremos para fazer nosso descanso, farei o que deseja.

O estranho não disse mais nada. Ele puxou um longo cachimbo que prendeu à sela e começou a fumar com baforadas lentas, enquanto cavalgava com o líder da caravana. Este último não sabia o que fazer com o estranho e se aventurou a não perguntar seu nome com tantas palavras, mas, quando ele se esforçou para tecer uma conversa com comentários como "Você fuma um bom tabaco" ou "Seu cavalo tem um passo firme", o homem constantemente respondia com apenas um breve "sim, sim!".

Por fim, chegaram ao local onde deveriam fazer uma pausa para o descanso: o chefe mandou o seu povo para vigiar, enquanto ele permanecia com o estrangeiro para receber a caravana. Primeiro, trinta camelos passaram, carregados, conduzidos por homens armados. Depois disso, em belos cavalos, vieram os cinco mercadores aos quais a caravana pertencia. Eram, em sua maioria, homens de idade avançada, de aspecto sério. Um, porém, parecia muito mais jovem, bem como mais alegre e animado do que os outros. Um grande número de camelos e cavalos de carga encerrava a procissão.

Tendas foram armadas, e os camelos e cavalos amarrados ao redor. No meio, havia um grande pavilhão de seda azul, ao qual o chefe da escolta conduziu o estranho. Quando chegaram à entrada, viram os cinco mercadores sentados em almofadas bordadas a ouro, e escravos carregavam comida e bebida.

– Quem trazes aqui para nós? – exclamou o jovem comerciante ao líder.

Antes, porém, que este pudesse responder, o estranho falou.

– Chamo-me Selim Baruch e sou de Bagdá. Fui capturado por uma horda de ladrões em um passeio a Meca, mas três dias atrás consegui me libertar do confinamento. O poderoso Profeta permitiu-me ouvir, ao longe, os pequenos sinos de sua caravana e então eu vim até você.

"Permita-me cavalgar em sua companhia, você não concederá sua proteção a nenhuma pessoa indigna. Quando chegarmos a Bagdá, recompensarei sua bondade ricamente, pois sou sobrinho do grão-vizir."

O mais velho dos mercadores retomou o discurso:

– Selim Baruch – disse ele –, bem-vindo à nossa proteção! É uma alegria para nós ajudá-lo. Mas, antes de tudo, sente-se, coma e beba conosco.

Selim Baruch sentou-se entre os mercadores, comeu e bebeu com eles. Após a refeição, os escravos retiraram a mesa e trouxeram longos cachimbos. Os mercadores permaneceram sentados em silêncio por algum tempo, enquanto expeliam diante deles as nuvens de fumaça azuladas, observando como se formavam círculo após círculo e, por fim, dissipavam-se no ar ambiente. O jovem comerciante finalmente quebrou o silêncio.

– Ficamos aqui sentados três dias – disse ele – a cavalo e à mesa, sem fazer nada para passar o tempo. Sinto muito tédio, pois estou acostumado, depois do jantar, a ver dançarinas ou a ouvir cantos e música. Não sabem de nada, meus amigos, que podemos fazer para passar o tempo?

Os quatro mercadores mais velhos fumavam e pareciam refletir seriamente, mas o estranho falou:

– Se me for permitido, farei uma proposta a você. Acho que um de nós, neste local de descanso, poderia relatar algo para o divertimento dos demais: isso, certamente, serviria para passar o tempo.

– Selim Baruch, falaste bem – disse Achmet, o mais velho dos mercadores. – Vamos aceitar a proposta.

– Estou feliz pela ideia o agradar – respondeu Selim. – E, para que você possa ver que não desejo nada irracional, eu mesmo começarei.

Os cinco mercadores, muito felizes, aproximaram-se e colocaram o estranho no meio deles. Os escravos reabasteceram suas xícaras, encheram os cachimbos de seus senhores novamente e trouxeram brasas acesas para acendê-los. Selim limpou a voz com um forte gole de bebida, alisou a longa barba de sua boca e disse:

– Ouçam então a história da cegonha califa.

CAPÍTULO I

Certa vez, em uma bela tarde, o califa Chasid estava sentado em seu sofá em Bagdá: havia dormido um pouco (pois era um dia quente) e agora, depois de seu cochilo, parecia muito feliz. Fumava um longo cachimbo de jacarandá, bebia de vez em quando um pouco de café que um escravo lhe servia e acariciava a barba, satisfeito, porque o sabor lhe agradava. Em suma, era evidente que o califa estava de bom humor. Nessa parte do dia, podia-se facilmente falar com ele, pois sempre era muito sereno e, por esse motivo, seu grão-vizir, Mansor, procurava-o a essa hora, todos os dias.

Na tarde em questão, ele também apareceu, mas parecia muito sério, ao contrário de seu costume. O califa tirou o cachimbo da boca por um momento e disse:

– Por que, grão-vizir, tem um rosto tão sério?

O grão-vizir cruzou os braços sobre o peito, fez uma reverência ao seu senhor e respondeu:

– Senhor, se eu pareço pensativo, não sei, mas lá, abaixo do palácio, está um comerciante que tem produtos tão finos que me aborrece não ter dinheiro de sobra para comprá-los.

O califa, que antes disso muitas vezes satisfazia com alegria seu vizir, mandou seu escravo trazer o comerciante e, em um momento, eles entraram juntos. Ele era um homem baixo e gordo, vestido em farrapos e carregava uma arca na qual havia todos os tipos de mercadorias – pérolas e anéis, pistolas ricamente trabalhadas, taças e pentes. O califa e seu vizir examinaram todos eles, e o primeiro comprou pistolas finas para si e Mansor, além de um pente para a esposa do vizir. Quando o mascate estava para fechar o baú, o califa espiou uma pequena gaveta e perguntou se havia mercadorias nela também. O comerciante puxou a gaveta e apontou nela uma caixa de pólvora negra e um papel com caracteres estranhos, que nem o califa nem Mansor sabiam ler.

– Consegui esses dois artigos, há algum tempo, de um comerciante, que os encontrou na rua de Meca – disse o vendedor. – Eu não sei o que eles contêm. Eles estão ao seu serviço por um preço moderado, porque não posso fazer nada com eles.

O califa, que de bom grado guardava manuscritos antigos em sua biblioteca, embora não pudesse lê-los, comprou a escrita e a caixa e dispensou o comerciante. Entretanto, ele achou que gostaria de saber o que continha a escrita e perguntou ao vizir se conhecia alguém que pudesse decifrá-la.

– Muito digno, senhor e mestre – respondeu ele –, perto da grande mesquita, vive um homem chamado de Selim, o Culto, que entende todas as línguas. Talvez ele conheça esses personagens misteriosos.

O erudito Selim logo foi trazido.

– Selim – disse o califa a ele –, dizem que és muito sábio. Dê uma olhada neste manuscrito e veja se consegue lê-lo. Se você puder, você receberá de mim uma nova veste festiva; se não, receberás doze pancadas na bochecha e vinte e cinco na planta dos pés, visto que, nesse caso, és injustamente chamado de Selim, o Culto.

Selim se curvou e disse:

– Senhor, seja feita a tua vontade!

Por um longo tempo, ele estudou atentamente o manuscrito, mas, de repente, exclamou:

– Isto é latim, senhor, que eu seja enforcado se estiver errado.

– Se é latim, diga-nos o que há nele – ordenou o califa.

Selim começou a traduzir:

"Homem, seja quem for que encontre isso, louvai a Alá pela sua bondade! Quem cheirar deste pó e, ao mesmo tempo, disser "Mutabor", se transformará em qualquer animal que quiser e poderá entender o que eles falam. Se desejar retornar à forma humana, então deixe-o se curvar três vezes para o Leste e repita a mesma palavra. Mas cuidado, se for transformado, para não rir; caso contrário, a palavra mágica desaparecerá totalmente de sua lembrança, e você permanecerá um animal!"

O califa ficou muito feliz quando Selim, o Culto, leu aquilo. Ele fez o tradutor jurar que não contaria a ninguém o segredo deles, deu-lhe uma linda vestimenta e dispensou-o. Ao grão-vizir, porém, disse:

– Isso que eu chamo de boa compra, Mansor! Mal posso esperar para me tornar um animal! De manhã cedo, venha até mim. Então iremos juntos para o campo, tiraremos um rapé da minha caixa e ouviremos o que se diz no ar e na água, na floresta e no campo.

CAPÍTULO II

Na manhã seguinte, o califa Chasid mal havia tomado o desjejum e se vestido quando o grão-vizir apareceu para acompanhá-lo, como ele havia ordenado, em sua caminhada. O califa colocou a caixa com o pó mágico no cinto e, tendo ordenado que seu séquito ficasse para trás, partiu, sozinho com Mansor, para a expedição. A princípio, percorreram os extensos jardins do califa, mas procuraram em vão por algum ser vivo para fazer sua estranha experiência. O vizir finalmente se propôs a ir mais longe, a um lago, onde já vira, muitas vezes, diversas cegonhas, que, pelo seu comportamento grave e barulhento, sempre chamaram sua atenção. O califa aceitou a proposta de seu vizir e foi com ele para o lago. Quando chegaram lá, viram uma cegonha andando gravemente de um lado para outro, procurando sapos e, de vez em quando, batendo em algo diante dela. Em seguida, eles viram, também, outra cegonha pairando no ar.

– Aposto minha barba, senhor digníssimo – exclamou o grão-vizir –, que esses dois pés compridos estão agora mesmo mantendo uma bela conversa um com o outro. Como seria se nos tornássemos cegonhas?

– Bem dito! – respondeu o califa. – Mas primeiro vamos considerar como podemos nos tornar homens novamente. Certo! Três vezes reverencie o Leste e exclame "Mutabor!", então serei califa mais uma vez e tu vizir. Apenas, pelo amor dos céus, não ria ou estaremos perdidos!

Enquanto o califa falava, ele viu a outra cegonha pairando sobre suas cabeças e caindo lentamente no chão. Ele tirou a caixa rapidamente da cintura e cheirou aquele pó mágico, o que o grão-vizir fez logo depois, exclamando juntos "Mutabor!". Imediatamente suas pernas murcharam e tornaram-se delgadas e vermelhas; as belas sandálias amarelas do califa e de seu companheiro tornaram-se pés de cegonha deformados; seus braços se transformaram em asas; o pescoço estendia-se desde os ombros e tinha um comprimento de meia; suas barbas haviam desaparecido, e seus corpos inteiros estavam cobertos de penas macias.

– Você tem um bico lindo, meu senhor grão-vizir – exclamou o califa após longo espanto. – Pelas barbas do Profeta, em toda a minha vida, não vi nada igual!

– Meu humilde obrigado! – respondeu o vizir, enquanto se curvava. – Mas se me atrevesse a arriscar, posso afirmar que vossa alteza parece quase tão bonito quando uma cegonha, como quando um califa. Mas proponho, se for do seu agrado, que observemos e ouçamos nossos camaradas para ver se realmente entendemos a língua deles.

Enquanto isso, a outra cegonha alcançou a terra. Ele limpou os pés com o bico, alisou as penas e foi até o primeiro. Os novos pássaros, então, apressaram-se em se aproximar e, para seu espanto, ouviram a seguinte conversa:

– Bom dia, Senhora Pernas Compridas; já, tão cedo, na lagoa?

– Muito bem, amado Batedor-de-bico. Eu trouxe um pequeno café da manhã. Você gostaria, talvez, do quarto de um pato êider ou da coxa de um sapinho?

– Meus melhores agradecimentos, mas esta manhã estou com pouco apetite. Venho para o lago por um motivo muito diferente. Eu tenho que dançar hoje para os convidados do meu pai e quero praticar um pouco em particular.

Imediatamente, então, a jovem cegonha pisou, em grande excitação, sobre a planície. O califa e Mansor olharam para ela com espanto. Quando, no entanto, ela ficou em uma atitude pitoresca sobre um pé e, ao mesmo tempo, movia graciosamente suas asas como um leque, os dois não puderam mais se conter e começaram a rir. O califa foi o primeiro a se recuperar.

– Nem todo ouro do mundo poderia comprar uma piada tão boa! Pena que os pássaros estúpidos devem ter sido afastados por nossa risada; caso contrário, eles certamente ainda estariam cantando.

O grão-vizir lembrou, porém, que eles não podiam rir e compartilhou sua ansiedade com o califa.

– Por Meca e Medina! O que fizemos foi lamentável! Pense, então, na palavra que devemos dizer, pois não consigo me lembrar dela.

– Devemos nos curvar três vezes ao Leste e, ao mesmo tempo, dizer mu-mu-mu.

Eles se viraram para o Leste e se curvaram tão baixo que seus bicos quase tocaram a terra. Mas, ó miséria! A palavra mágica havia escapado deles; e embora o califa se prostrasse repetidas vezes, embora ao mesmo tempo o vizir gritasse "mu-mu", todas as lembranças haviam desaparecido, e o pobre Chasid e seu vizir continuariam sendo cegonhas.

CAPÍTULO III

Os encantados vagaram tristemente pelos campos, sem saber, em sua calamidade, o que fazer. Para a cidade, não podiam voltar, pois quem acreditaria em uma cegonha que dizia ser o califa? Ou mesmo se ele encontrasse crédito, os habitantes de Bagdá estariam dispostos a ter tal pássaro para seu mestre? Assim, durante vários dias, eles vagaram, sustentando-se com a produção dos campos, que, no entanto, por causa de seus longos bicos, eles não podiam apanhar prontamente. Eles não tinham apetite por patos e sapos, pois temiam que esses petiscos delicados arruinassem seus estômagos. Nessa situação lamentável, seu único consolo era que podiam voar e, por isso, muitas vezes, voavam até os telhados de Bagdá para ver o que estava acontecendo ali.

No primeiro dia, observaram grande comoção e luto nas ruas; mas no quarto dia após sua transformação, eles pousaram por acaso no palácio real, de onde viram, na rua abaixo, uma esplêndida procissão. Tambores e pífanos soaram e em um corcel ricamente enfeitado estava sentado um homem, em um manto escarlate bordado com ouro, cercado por assistentes em trajes esplêndidos. Metade de Bagdá corria atrás dele, gritando: "Salve, Mizra! Senhor de Bagdá!". Tudo isso as duas cegonhas viram do telhado do palácio, e o califa Chasid exclamou:

– Percebe agora por que estou encantado, grão-vizir? Este Mizra é filho de meu inimigo mortal, o poderoso feiticeiro Kaschnur, que, em uma hora terrível, jurou vingança contra mim. Ainda assim, não abandono todas as esperanças. Venha comigo, ó companheiro fiel de minha miséria, e iremos ao túmulo do Profeta. Talvez naquele local sagrado o encanto possa ser dissolvido.

Eles se ergueram do telhado do palácio e voaram na direção de Medina.

Ao tentarem usar as asas, porém, eles experimentaram alguma dificuldade, pois as duas cegonhas tinham, ainda, pouca prática.

– Ó, senhor! – gemeu o vizir, depois de algumas horas. – Com sua permissão, não posso mais resistir; você voa tão rápido! Além disso, já é noite e faríamos bem em procurar um abrigo para dormir.

Chasid deu ouvidos ao pedido de seu ajudante, então viu, no vale abaixo, uma ruína que parecia prometer alojamento seguro e para lá eles voaram. O local onde pousaram para passar a noite parecia anteriormente ter sido um castelo. Belíssimas colunas projetadas sob o entulho e várias câmaras, que ainda se encontravam em estado de conservação tolerável, atestavam a antiga magnificência do casarão. Chasid e seu companheiro deram a volta pelo corredor, em busca de um local de descanso seco. De repente, a cegonha Mansor parou.

– Senhor e mestre – sussurrou ele suavemente –, se não fosse tolice para um grão-vizir, ainda mais para uma cegonha, ficar alarmado com espectros, diria que minha mente está muito desconfortável, pois posso ouvir murmúrios e suspiros aqui.

O califa, por sua vez, ficou parado e ouviu claramente um gemido baixo, que parecia pertencer mais a um ser humano do que a um animal. Cheio de expectativa, tentou ir ao lugar de onde saíam os sons lamentosos, mas o vizir, agarrando-o pela asa com o bico, rogou-lhe com fervor que não os mergulhasse em perigos novos e desconhecidos. Em vão! O califa, diante de quem um coração valente batia sob sua asa de cegonha, irrompeu com a perda de uma pena e precipitou-se para uma galeria sombria. Em um momento, ele alcançou uma porta, que se parecia apenas pela tranca, e da qual ele ouviu suspiros distintos, acompanhados de um gemido baixo. Ele empurrou a porta com o bico, mas parou, acorrentado pelo espanto, na soleira. No aposento em ruínas, que agora estava mal iluminado através de uma janela gradeada, ele viu uma enorme coruja pousada no chão. Grandes lágrimas rolaram de seus grandes olhos redondos, e com voz ardente ela soltou gritos de seu bico torto. Assim, porém, ao avistar o califa e seu vizir, que entretanto se aproximara suavemente por trás, ela soltou um alto grito de alegria. Ela enxugou cuidadosamente as lágrimas com sua asa listrada de marrom e, para grande surpresa de ambos, exclamou, em bom árabe humano:

— Bem-vindas, cegonhas! Vocês são para mim um bom presságio de libertação, pois uma vez me foi profetizado que, por meio das cegonhas, uma grande sorte cairá sobre mim.

Quando o califa se recuperou de seu espanto, curvou o pescoço comprido, colocou os pés delgados em uma posição elegante e disse:

— Coruja, depois de suas palavras, arrisco a acreditar que vejo em você uma companheira de infortúnio. Mas infelizmente essa esperança de que através de nós ocorrerá a tua libertação é infundada. Tu mesmo reconhecerás nosso desamparo, quando ouvires nossa história.

A coruja-das-torres rogou-lhe que o transmitisse a ela, e o califa, levantando-se, relatou o que já sabemos.

CAPÍTULO IV

Quando o califa contou sua história à coruja, ela agradeceu e disse:

– Ouça a minha história também e entenda como não sou menos infeliz do que você. Meu pai é o rei da Índia. Eu, a sua única filha infeliz, chamo-me Lusa. Esse mesmo feiticeiro Kaschnur, que te transformou, também me mergulhou nesta aflição. Ele veio um dia conversar com meu pai e me pediu em casamento por seu filho Mizra. Meu pai, porém, que é um homem difícil, jogou-o escada abaixo. O desgraçado conseguiu aproximar-se furtivamente de mim sob outra forma e, enquanto em certa ocasião eu estava tomando ar fresco em meu jardim, ele, vestido de escravo, me presenteou com uma poção que me transformou nessa figura detestável. Ele me trouxe até aqui, desmaiando de medo, e exclamou em meu ouvido com voz terrível: "Aí você permanecerá, desprezada até mesmo por animais, até a sua morte, ou até que um, por sua própria vontade, mesmo sob esta forma lamentável, leve-te como esposa. Assim, me vingarei de ti e de teu pai arrogante!".

Desde então, muitos meses se passaram; sozinha e pesarosamente viva, como um eremita nestas paredes, abominada pelo mundo, uma abominação até para os brutos. A bela natureza está excluída de mim, pois sou cega de dia e, somente quando a lua lança sua luz pálida sobre esta ruína, cai o véu que envolve meus olhos.

A coruja terminou e novamente enxugou os olhos com a asa, pois a narração de sua mágoa havia provocado lágrimas. O califa mergulhou em profunda meditação com a história da princesa.

– Se eu não estiver totalmente enganado – disse ele –, você descobrirá que entre nossos infortúnios existe uma conexão secreta, mas onde posso encontrar a chave para este enigma?

A coruja respondeu:

– Meu senhor! Isso também está claro para mim! Pela primeira vez, no início da juventude, foi-me predito por uma mulher sábia que uma cegonha me traria grande felicidade e talvez eu possa saber como podemos nos salvar.

O califa ficou muito surpreso e perguntou o que ela queria dizer.

– O feiticeiro que nos deixou infelizes – disse ela – vem uma vez por mês a essas ruínas. Não muito longe desta câmara há um corredor. Lá, com muitos confederados, ele costuma banquetear. Já os observei muitas vezes: eles relatam um ao outro seus atos vergonhosos; talvez ele possa então mencionar a palavra mágica que você esqueceu.

– Oh, querida princesa! – exclamou o califa. – Diga-nos: quando ele virá e onde é o salão?

A coruja ficou em silêncio por um momento e então disse:

— Não leve a mal, mas, apenas com uma condição, posso conceder o seu desejo.

— Diga-me! — gritou Chasid. — Seja o que for, estou pronto para obedecer.

— É o seguinte: eu gostaria de ser libertada ao mesmo tempo. Isso, no entanto, só pode acontecer se um de vocês me pedir em casamento.

Diante dessa proposição, as cegonhas pareceram um tanto surpresas, e o califa acenou para que ela se afastasse por um momento.

— Grão-vizir — disse o califa diante da porta —, é um caso estúpido, mas você pode consertar tudo.

— Para que minha esposa, quando eu for para casa, possa arrancar meus olhos? Além disso, sou um homem velho, enquanto você ainda é jovem e solteiro, e seria uma melhor opção para uma jovem e linda princesa.

— Ah! Esse é o ponto — suspirou o califa, enquanto abaixava as asas pesarosamente. — Quem lhe disse que ela é jovem e bela? Isso é equivalente a comprar um gato em um saco!

Eles continuaram a conversar por um longo tempo, mas, finalmente, quando o califa viu que Mansor preferia continuar a ser uma cegonha a se casar com a coruja, decidiu antes, ele mesmo, aceitar a condição. A coruja ficou radiante e confessou que eles não poderiam ter vindo em melhor hora, já que, provavelmente, naquela mesma noite, os feiticeiros iriam se reunir.

Ela saiu do aposento com as cegonhas, a fim de conduzi-las ao salão. Eles percorreram um longo caminho por uma passagem sombria, até que finalmente uma luz muito brilhante os atingiu através de uma parede meio deteriorada. Quando chegaram ao lugar, a coruja aconselhou-os a parar muito silenciosamente. Da brecha, perto da qual estavam parados, eles podiam ver um grande salão, todo adornado com pilares e esplendidamente decorado, no qual muitas lâmpadas coloridas restauravam a luz do dia. No meio do salão, estava uma mesa redonda, carregada com carnes variadas. Ao redor da mesa, havia um sofá, no qual oito homens estavam sentados. Em um desses homens, as cegonhas reconheceram o próprio comerciante que lhes havia vendido o pó mágico. Seu vizinho desejava que ele contasse suas últimas façanhas, e ele relatou, entre outros, a história do califa e seu vizir.

– Que palavra você deu a eles? – perguntou um dos outros magos.

– Uma palavra em latim: Mutabor.

CAPÍTULO V

Quando as cegonhas ouviram isso através de seu abismo na parede, ficaram quase fora de si de alegria. Elas correram tão rapidamente com seus pés longos para a porta da ruína que a coruja mal conseguiu acompanhá-los. Em seguida, o califa disse a ela:

– Preservadora da minha vida e da de meu amigo, em sinal de nossa eterna gratidão pelo que fizeste por nós, toma-me como teu marido.

Então ele se virou para o Leste: três vezes eles curvaram seus longos pescoços em direção ao sol, que já estava subindo acima das montanhas, e no mesmo momento exclamaram "Mutabor!". Em um piscar de olhos, eles foram restaurados e, na alegria excessiva de sua vida recém-concedida, alternadamente rindo e chorando, entrelaçaram-se nos braços um do outro. Mas quem pode descrever seu espanto quando olharam em volta? Uma linda mulher, vestida como uma rainha, estava diante deles. Sorrindo, ela deu a mão ao califa e disse:

— Você não conhece mais sua coruja?

Era ela. O califa ficou tão emocionado com sua beleza e simpatia que gritava que ter se tornado cegonha foi o melhor momento de sua vida.

Os três então seguiram juntos para Bagdá. O califa encontrou em sua roupa não só a caixa de pó mágico, mas também sua bolsa de dinheiro. Por meio disso, ele comprou na aldeia mais próxima o que era necessário para sua jornada e, portanto, eles logo apareceram diante dos portões da cidade. Aqui, entretanto, a chegada do califa causou grande espanto. Tinham dito que o califa estava morto e o povo estava, portanto, muito feliz por ter novamente seu amado senhor.

No entanto, queimaram seu ódio contra o impostor Mizra. Eles seguiram para o palácio e pegaram o velho mago e seu filho. O califa mandou o velho para a mesma câmara na ruína, onde a princesa como coruja tinha habitado, e lá o prendeu. Ao filho, no entanto, que não entendia nada das artes de seu pai, ele deu uma escolha: morrer ou inalar um pouco do pó. Escolhido este último, o grão-vizir apresentou-

-lhe a caixa. Uma pitada forte e a palavra mágica do califa converteram-no em uma cegonha. Chasid o prendeu em uma gaiola de ferro e o pendurou em seu jardim.

O califa Chasid viveu uma vida longa e feliz com sua esposa, a princesa. As suas horas mais agradáveis eram sempre aquelas, em que à tarde o vizir o procurava e, sempre que o califa estava de muito bom humor, imitava Mansor como fazia quando eram cegonhas. Ele marchava gravemente, com os pés rígidos, para cima e para baixo da câmara, fazia um barulho estridente, balançava os braços como asas e mostrava como, em vão, prostrou-se para o Leste e gritou: "mu-mu". Para a princesa e os seus filhos, essa imitação sempre proporcionou grande diversão.

A aventura do viajante

(Charles John Tibbitts, 1889)

O bem e o mal. O certo e o errado. O moral e o imoral. O justo e o injusto. Essas dicotomias são alicerces centrais do pensamento filosófico desde tempos muito remotos. Nesta história, um jovem viajante que acreditava que o bem deveria ser compensado com um bem maior tem seu paradigma quebrado de uma forma curiosa.

Conta-se que um viajante, montado em um camelo, chegou a um lugar onde outros da mesma caravana haviam acendido uma fogueira antes de prosseguir viagem. O vento em forma de leque, soprando nas brasas, produzira uma chama, e as fagulhas, sendo levadas, causaram um grande incêndio.

No meio disso, estava uma cobra enorme, que, rodeada pelas chamas, não tinha como escapar e estava prestes a ser queimada como um peixe ou espetada como uma perdiz para a mesa. O sangue escorria de seus olhos carregados de veneno e, vendo o homem e o camelo, suplicou por ajuda.

– E se com bondade tu me concedes tua piedade, ajuda-me a sair daqui.

Ora, o viajante era um bom homem e temente a Alá. Quando ele ouviu o pedido da cobra e viu sua condição lamentável, raciocinou assim consigo mesmo: "Esta cobra é, de fato, inimiga do homem, mas, estando em apuros e perplexidade, seria bom que eu deixasse aqui a semente da compaixão, cujo fruto é a prosperidade neste mundo e a exaltação no próximo". Assim convencido, ele prendeu um de seus alforjes na ponta de sua lança e estendeu-o à cobra, que, encantada com a fuga, entrou na bolsa e foi resgatada das chamas. O homem, então, abrindo a boca da bolsa, dirigiu-se assim:

– Sai para onde queres, mas não te esqueças de agradecer pela tua preservação. Doravante, procure um canto do retiro e pare de afligir a humanidade, pois aqueles que o fazem são desonestos neste mundo e no próximo... Tema a Alá e não aflija ninguém. Essa realmente é a verdadeira salvação.

– Ó jovem, fique quieto, pois, na verdade, não irei embora até ter ferido a ti e a este camelo.

– Mas como é isso? – gritou o homem. – Não te ajudei? Por que, então, essa deve ser minha recompensa? Da minha parte, houve fidelidade, por que então esta injustiça sobre a tua?

– Verdade, tu mostraste misericórdia, mas com uma criatura indigna – respondeu a cobra. – Tu sabes que sou um agente de injúria à humanidade, consequentemente, quando me salvaste da destruição, submeteste-te à mesma regra que se aplica à punição devida por um ato maligno cometido contra um objeto digno. Novamente, entre a cobra e o homem, existe uma inimizade de longa data, e aqueles que empregam a previdência consideram uma máxima de sabedoria machucar a cabeça de um inimigo. Para tua segurança, minha destruição foi necessária, mas, ao mostrar misericórdia, perdeste a vigilância. Agora é necessário que eu te fira para que outros possam aprender pelo teu exemplo.

O homem gritou:

– Ó cobra! Em que credo está escrito, ou que prática declara, que o mal deve ser devolvido com o bem ou que o prazer de conceder benefícios deve ser devolvido com injúria e aflição?

– Essa é a prática entre os homens – respondeu a cobra. – Eu ajo de acordo com teu próprio decreto. A mesma mercadoria de retribuição que comprei de ti também vendo. Compre por um momento o que tu vendes há anos.

Em vão o viajante implorou, a cobra sempre respondendo:

– Eu apenas te trato como os homens.

Isso o homem negou.

– Mas – disse ele – vamos chamar testemunhas: se tu provares a tua afirmação, eu me renderei à tua vontade.

A cobra, olhando em volta, viu uma vaca pastando a distância e disse:

– Venha, vamos perguntar a esta vaca os direitos da questão.

Quando eles se aproximaram da vaca, a cobra, abrindo a boca, disse:

– Ó vaca, qual é a recompensa pelos benefícios recebidos?

– Se me perguntas como homem, o retorno do bem é sempre o mal – respondeu a vaca. – Por exemplo, durante muito tempo, estive a serviço de um fazendeiro. Anualmente dava à luz um bezerro, forneci leite e manteiga para sua casa... Seu sustento e a vida de seus filhos dependiam de mim. Quando fiquei velha e não mais produzi bezerros, ele parou de me abrigar e me empurrou para morrer na selva. Depois de encontrar forragem e vagar à vontade, engordei, e meu velho mestre, vendo como estava gorda, ontem trouxe com ele um açougueiro, a quem ele me vendeu, e hoje está designado o meu abate.

– Ouviste a vaca, prepare-se para morrer rapidamente – continuou a cobra.

O homem gritou:

– Não é legal decidir um caso com base no depoimento de uma vítima, vamos então chamar outra.

A cobra olhou em volta e viu uma árvore, sem folhas e nua, jogando seus galhos selvagens para o céu.

– Vamos – disse ele – apelar para esta árvore.

Eles foram juntos em direção à árvore, e a cobra, abrindo a boca, disse:

– Ó árvore, qual é a recompensa para o bem?

A árvore disse:

– Entre os homens, os benefícios são retribuídos com mal e prejuízo. Vou lhe dar uma prova do que afirmo. Eu sou uma árvore que, embora crescendo em uma perna só neste deserto triste, já foi florescente e verde, prestando serviço a todos. Quando alguém da raça humana, vencido pelo calor e pela viagem, vinha para cá, eles descansavam sob minha sombra e dormiam sob meus galhos. Quando o peso do repouso abandonou suas pálpebras, eles ergueram os olhos para mim e disseram uns aos outros: "Seu galho seria bom para uma flecha; aquele galho serviria de arado e do tronco desta árvore que lindas pranchas podem ser feitas!". Se eles tivessem um machado ou uma serra, selecionariam meus galhos e os levariam embora. Assim, aqueles a quem dei alívio e descanso recompensaram-me apenas com dor e aflição. Enquanto meu cuidado o obscurece em perplexidade, Ele procura apenas a melhor forma de me enraizar.

— Bem — disse a cobra —, aqui estão duas testemunhas. Portanto, devo feri-lo.

O homem disse:

— Verdade, mas o amor pela vida é poderoso e, embora a força permaneça, é difícil enraizar o amor dela no coração. Chame mais uma testemunha e então me comprometo a me submeter ao seu decreto.

Então aconteceu de forma tão maravilhosa que uma raposa, que estava por perto, ouviu toda a discussão e então se adiantou. A cobra, ao vê-la, exclamou:

— Eis esta raposa, deixe-nos perguntar.

Mas antes que o homem pudesse falar, a raposa gritou:

— Não sabes que a recompensa do bem é sempre o mal? Mas que bem fizeste a favor desta cobra para te tornar digno de punição?

O homem contou sua história. A raposa respondeu:

— Você parece uma pessoa inteligente, por que então me diz uma mentira?

– O homem fala a verdade, pois eis a bolsa em que me resgatou – disse a cobra.

A raposa, vestindo o traje de espanto, continuou:

– Como posso acreditar nisso? Como uma cobra grande como tu poderia caber em um espaço tão pequeno?

– Se duvidas de mim, voltarei a entrar na bolsa para provar isso – respondeu a cobra.

– Verdadeiramente, se eu te visse lá, poderia acreditar e depois resolver a disputa entre vocês.

Com isso, o viajante abriu a bolsa, e a cobra, incomodada com a descrença da raposa, entrou nela. Observando isso, a raposa gritou:

– Ó jovem, quando pegares o teu inimigo, não lhe mostre piedade. Quando um inimigo é derrotado e está em seu poder, é a máxima do sábio não lhe mostrar misericórdia.

O viajante percebeu a sugestão da raposa, fechou a bolsa e, lançando-a contra uma pedra, destruiu a cobra, salvando, assim, a humanidade dos efeitos malignos de suas atitudes perversas.

Ali Baba e os quarenta ladrões

(de *As mil e uma noites*. Antoine Galland, 1704)

Ali Baba e os quarenta ladrões é uma das histórias mais famosas das Mil e uma noites, embora só tenha sido adicionada a ela no século XVIII, pelo tradutor francês Antoine Galland. Ali Baba é um pobre lenhador que descobre um lugar secreto onde ladrões escondem tesouros. Ao ficarem sabendo da descoberta de Ali Baba, os ladrões tentam matá-lo, mas sua fiel escrava frustra seus planos. A história de Ali Baba ganhou fama mundial, especialmente entre o público infantil, e já foi transformada em filmes, cartoons, músicas e, claro, inúmeros livros.

Em uma cidade na Pérsia, moravam dois irmãos, um chamado Cassim e o outro Ali Baba. Cassim era casado com uma esposa rica e vivia com abundância, enquanto Ali Baba tinha que sustentar sua esposa e filhos cortando lenha em uma floresta próxima e vendendo-a na cidade. Um dia, quando Ali Baba estava na floresta, viu uma tropa de homens a cavalo, vindo em sua direção, envoltos em uma nuvem de poeira. Ele temeu que se tratasse de ladrões e subiu em uma árvore por segurança. Contou que havia quarenta homens, que desceram de seus cavalos e os amarraram nas árvores. O mais ilustre entre eles, que Ali Baba imaginou ser o líder do grupo, caminhou um pouco entre alguns arbustos e disse:

– Abra-te, Sésamo!

Ele falou tão claramente que Ali Baba o ouviu. Uma porta se abriu nas pedras e, tendo feito a tropa entrar, o líder seguiu, e a porta se fechou sozinha. Eles ficaram algum tempo lá dentro, e Ali Baba, temendo que eles pudessem sair e capturá-lo, foi obrigado a esperar pacientemente na árvore. Por fim, a porta se abriu novamente, e os quarenta ladrões saíram. O líder saiu primeiro e, depois que todos haviam saído, fechou a porta, dizendo:

– Fecha-te, Sésamo!

Cada homem pegou seu cavalo e o montou, então o líder colocou-se à frente de todos e eles partiram tão abruptamente como tinham chegado.

Então Ali Baba desceu e foi até a porta escondida entre os arbustos e disse:

– Abra-te, Sésamo! – E ela se abriu.

Ali Baba, que esperava um lugar sombrio, ficou muito surpreso ao encontrar um espaço grande e bem iluminado, esculpido em forma de abóbada, que era iluminado por uma abertura no teto. Ele viu ricos fardos de mercadorias – seda, brocados, todos empilhados, ouro e prata em pilhas e dinheiro em bolsas de couro. Ao entrar, a porta se fechou atrás dele. Ali Baba não olhou para a prata, mas pegou o tanto de ouro que ele achou que suas mulas, que estavam pastando lá fora, podiam carregar, colocou-o em sacos e escondeu tudo nos animais. Usando as palavras "Fecha-te, Sésamo!", ele fechou a porta e foi para casa.

Então levou seus animais para o quintal, fechou os portões, levou os sacos de dinheiro para sua esposa e os esvaziou diante dela. Ele ordenou que ela guardasse o segredo e anunciou que enterrariam o ouro.

– Deixe-me primeiro medir quanto ouro há. – disse sua esposa. – Vou pegar emprestado um medidor de alguém, enquanto você cava o buraco.

Então ela correu para a esposa de Cassim e pediu um medidor emprestado. Sabendo da pobreza de Ali Baba, a cunhada ficou curiosa para descobrir que tipo de grão ela desejava medir e astutamente colocou um pouco de sebo na base do medidor. A esposa de Ali Baba foi para casa e colocou o medidor na pilha de ouro, enchendo-o e esvaziando-o várias vezes, para sua alegria. Então levou o objeto de volta para sua cunhada, sem perceber que um pedaço de ouro tinha ficado grudado, o que a esposa de Cassim logo percebeu. Ela ficou muito curiosa e disse ao marido quando este voltou para casa:

– Cassim, seu irmão é mais rico que você. Ele não conta seu dinheiro, ele o mede.[1]

Cassim implorou que ela explicasse esse enigma, o que ela fez mostrando a ele o ouro e dizendo onde o encontrara. Então o homem ficou com tanta inveja que não conseguiu dormir e foi até a casa do irmão pela manhã, antes do nascer do sol.

– Ali Baba – disse ele, mostrando-lhe a peça de ouro –, você finge ser pobre e ainda assim está medindo ouro.

---

1. Provavelmente, com "não o conta, o mede", a esposa se refere ao fato da riqueza ser em ouro, que não pode ser contado.

Com isso, Ali Baba percebeu que, por meio da tolice de sua esposa, Cassim e sua mulher sabiam de seu segredo. Ele então confessou tudo e ofereceu a Cassim uma parte do tesouro.

– É o que espero – disse Cassim. – Mas devo saber onde encontrar o ouro, senão descobrirei tudo sozinho e você não ficará com nada.

Ali Baba, mais por bondade do que por medo, contou-lhe sobre a caverna e que palavras deveriam ser usadas para a mágica ter efeito. Cassim deixou Ali Baba com a intenção de chegar mais rápido que o irmão e pegar o tesouro apenas para si. Ele se levantou cedo na manhã seguinte e partiu com dez mulas carregadas com grandes baús. Ele logo encontrou o lugar e a porta na rocha. Ao dizer "Abra-te, Sésamo!", a porta abriu e fechou atrás dele. Ele poderia ter contemplado os tesouros o dia todo, mas apenas se apressou em pegar o máximo possível. Quando estava pronto para partir, não conseguiu se lembrar do que dizer por estar fascinado com suas grandes riquezas. Em vez de "Sésamo", ele disse "Abra-te, cevada!", e a porta permaneceu fechada. Ele falou o nome de vários tipos diferentes de grãos, todos menos o certo, e nada de a porta abrir. Cassim estava tão assustado com o perigo que corria que havia esquecido a palavra como se nunca a tivesse ouvido.

Por volta do meio-dia, os ladrões voltaram para a caverna e viram as mulas de Cassim vagando com grandes baús nas costas. Isso obviamente alertou-os e eles sacaram seus sabres e foram até a porta, que se abriu quando seu capitão disse: "Abra-te, Sésamo!". Cassim, que tinha ouvido o barulho dos cavalos se aproximando, resolveu não desistir sem lutar, então, quando a porta se abriu, ele saltou e jogou o líder no chão. Contudo, o esforço foi em vão, pois os ladrões com seus sabres logo o mataram. Ao entrar na caverna, viram todas as malas prontas e não conseguiam imaginar como alguém havia entrado sem saber seu segredo. Eles cortaram o corpo de Cassim em quatro partes e as pregaram dentro da caverna, a fim de assustar quem se aventurasse a fazer o mesmo que aquele homem, e foram em busca de mais tesouros.

À medida que a noite caía, a esposa de Cassim ficou muito inquieta, correu para o cunhado e disse-lhe aonde seu marido tinha ido. Ali Baba fez o possível para confortá-la e saiu para a floresta em busca do irmão. A primeira coisa que viu ao entrar na caverna foi Cassim morto. Cheio de horror, colocou o corpo em uma de suas mulas e bolsas de ouro nas outras duas e, cobrindo tudo, voltou para casa. Ele conduziu os dois animais carregados de ouro para o seu próprio quintal e levou o outro para a casa de Cassim, para que dessem o fim apropriado ao corpo.

A porta foi aberta pela escrava Morjana, que ele sabia que era corajosa e astuta. Descarregando a mula, ele lhe disse:

— Este é o corpo de seu amo, que foi assassinado, mas que devemos enterrar como se ele tivesse morrido em sua cama. Vou falar com você de novo, mas agora diga à sua senhora que estou aqui.

A esposa de Cassim, ao saber do destino de seu marido, desatou a chorar, mas Ali Baba se ofereceu para levá-la para morar com ele e sua esposa, se ela prometesse deixar todas as riquezas para Morjana. Ela concordou e enxugou os olhos.

Morjana, entretanto, procurou um boticário e pediu-lhe algumas pastilhas,[2] alegando que seu pobre mestre já não conseguia comer nem falar e que ninguém sabia que enfermidade o pobre homem tinha.

Ela levou as pastilhas para casa e voltou no dia seguinte chorando e pediu uma essência dada apenas aos que estavam para morrer. Assim, à noite, ninguém se surpreendeu ao ouvir os gritos miseráveis da esposa de Cassim e de Morjana, anunciando a todos que Cassim estava morto.

No dia seguinte, Morjana foi a um velho sapateiro perto dos portões da cidade, que abria sua barraca cedo, colocou um pedaço de ouro em sua mão e pediu que ele a seguisse, levando sua agulha e linha. Cobrindo os olhos do homem, ela o guiou até o quarto em que estava o corpo, tirou a bandagem e pediu-lhe que costurasse os quatro pedaços. Depois disso, ela cobriu seus olhos novamente e o levou para casa. Em seguida, eles enterraram Cassim, e Morjana, sua escrava, chorava e arrancava os cabelos, enquanto a esposa de Cassim ficou em casa lamentando sua dor. No dia seguinte, a viúva foi morar com Ali Baba, que deu a loja de Cassim para seu filho mais velho.

---

2. Provavelmente, referem-se a venenos dados para pessoas que estão sofrendo e não têm chance de recuperação.

Os quarenta ladrões, em seu retorno à caverna, ficaram muito surpresos ao descobrir que o corpo de Cassim havia sumido, assim como alguns de seus sacos de ouro.

– Fomos descobertos! Precisamos dar um jeito nisso ou perderemos todas as nossas riquezas. O corpo desaparecido mostra que duas pessoas conseguiram descobrir nosso segredo: nos livramos de uma delas, agora precisamos acabar com a outra.

Um dos ladrões se levantou e se ofereceu para a tarefa e, depois que os outros o elogiaram muito por sua bravura, ele se disfarçou e entrou na cidade ao amanhecer, perto da barraca de Baba Mustapha. O ladrão desejou-lhe um bom dia, dizendo:

– Meu bom senhor, como consegue costurar na sua idade?

– Apesar de velho – respondeu o sapateiro –, tenho olhos muito bons. Inclusive, ontem costurei um cadáver em um lugar menos iluminado que aqui.

O ladrão ficou muito feliz com sua boa sorte e, dando-lhe um pedaço de ouro, pediu que lhe mostrasse a casa onde costurara o cadáver. A princípio, Mustapha recusou, dizendo que havia sido conduzido até o lugar vendado; mas, quando o ladrão lhe deu outro pedaço de ouro, ele começou a pensar que talvez conseguisse se lembrar das curvas que havia feito pelo caminho se vendasse os olhos como antes. O ladrão em parte o conduzia e em parte era guiado por ele, até chegarem em frente à casa de Cassim, cuja porta o ladrão marcou com um pedaço de giz. Então, muito satisfeito, ele se despediu de Baba Mustapha e voltou para a floresta. Morjana viu a marca que o ladrão havia feito, adivinhou rapidamente que alguém estava planejando alguma maldade e foi buscar um pedaço de giz para marcar duas ou três portas vizinhas de cada lado, sem dizer nada a quem lá morava.

O ladrão, entretanto, contou aos seus camaradas a sua descoberta. O líder agradeceu e pediu que lhe mostrasse a casa que havia marcado, mas, quando chegaram lá, viram que cinco ou seis casas estavam marcadas com giz da mesma maneira. O guia ficou tão confuso que não soube que resposta dar e, quando eles voltaram, ele foi imediatamente decapitado por ter falhado em sua tarefa. Outro ladrão foi enviado e, tendo conquistado Baba Mustapha, marcou a casa com giz vermelho, mas Morjana, outra vez muito mais inteligente que eles, marcou também outras casas, e o segundo mensageiro também foi condenado à morte. O líder resolveu ir pessoalmente, porém, mais sábio que os outros, não marcou a casa, mas olhou para ela tão de perto que não pôde deixar de se lembrar qual era. Ele voltou e ordenou que seus homens fossem à aldeias vizinhas e comprassem dezenove mulas e trinta e oito potes de couro, todos vazios, exceto um, que estava cheio de óleo. O líder colocou um de seus homens em cada jarro totalmente armados, e esfregou a parte externa dos recipientes com óleo para parecer que havia óleo de fato ali. Então, as dezenove mulas foram carregadas com trinta e sete ladrões dentro e chegaram à cidade ao anoitecer. O líder do grupo parou suas mulas em frente à casa de Ali Baba e disse a ele, que estava sentado do lado de fora para se refrescar:

– Trouxe um pouco de óleo de longe para vender no mercado de amanhã, mas agora é tão tarde que eu não sei onde passar a noite, a menos que você me faça o favor de me receber.

Embora Ali Baba tivesse visto o líder dos ladrões na floresta, ele não o reconheceu disfarçado de comerciante de óleo. Deu-lhe as boas-vindas, abriu os portões para as mulas entrarem e foi até Morjana para pedir-lhe que preparasse uma cama e jantar para seu hóspede. Cassim trouxe o estranho para o seu salão e, depois de cearem, voltou a falar com Morjana na cozinha. Enquanto isso, o ladrão foi ao pátio com a pretensão de ver as mulas, mas na verdade estava indo dizer aos seus homens, que estavam escondidos dentro dos recipientes, o que fazer. Ele disse a cada homem:

– Assim que eu jogar algumas pedras da janela da câmara onde estou, abram as jarras com suas facas e saiam. Eu estarei com vocês em um instante.

Ele voltou para a casa, e Morjana o conduziu ao seu quarto. Ela então disse a Abdallah, seu companheiro escravo, para preparar a panela para fazer um caldo para seu mestre, que tinha ido para a cama. Enquanto isso, sua lamparina se apagou e ela não tinha mais óleo em casa.

– Não se preocupe – disse Abdallah. – Vá até o quintal e tire um pouco de um daqueles recipientes.

Morjana agradeceu o conselho, pegou o pote vazio e foi para o quintal. Quando ela chegou ao primeiro jarro, o ladrão disse baixinho:

– Está na hora?

Qualquer outro escravo, exceto Morjana, ao encontrar um homem dentro da jarra com o óleo que ela queria, teria gritado e feito barulho, mas ela, sabendo do perigo que seu mestre corria, pensou em um plano e respondeu baixinho:

– Ainda não.

Ela foi a todos os jarros, dando a mesma resposta, até que ela chegou ao jarro que continha, de fato, o óleo. Ela então percebeu que seu mestre, pensando que estava ajudando um comerciante de óleo, havia deixado entrar trinta e oito ladrões em sua casa. Ela encheu o seu jarro de óleo, voltou para a cozinha e, depois de acender a lamparina, encheu uma grande chaleira com óleo. Quando ferveu, ela despejou óleo suficiente em cada recipiente para abafar e matar o ladrão dentro. Após esse ato corajoso, ela voltou para a cozinha, apagou o fogo e a lamparina e esperou para ver o que aconteceria.

Quinze minutos depois, o líder dos ladrões acordou, levantou-se e abriu a janela. Como tudo parecia calmo, ele jogou algumas pedrinhas, que atingiram os potes. Ele ouviu e, como nenhum de seus homens parecia se mexer, ficou inquieto e desceu para o pátio. Foi até a primeira jarra e, ao dizer: "Você está dormindo?", ele sentiu o cheiro do óleo fervido e percebeu imediatamente que sua trama para assassinar Ali Baba e sua família havia sido descoberta. Ele encontrou toda a gangue morta e logo percebeu a maneira como morreram. Então forçou a fechadura de uma porta que dava para um jardim e escalou várias paredes para tentar escapar. Morjana ouviu e viu tudo isso e, feliz com seu sucesso, foi para a cama e adormeceu.

Ao amanhecer, Ali Baba se levantou e, vendo os recipientes de óleo ainda lá, perguntou por que o comerciante não tinha ido com suas mulas. Morjana pediu-lhe que olhasse no primeiro frasco para ver se havia óleo. Ao ver um homem caído, ele recuou aterrorizado.

— Não tenha medo — disse Morjana. — O homem não pode fazer mal a você: ele está morto.

Ali Baba, depois de se recuperar um pouco de seu espanto, perguntou o que havia acontecido com o comerciante.

— Comerciante! — disse ela. — Ele é tão comerciante quanto eu!

E ela lhe contou toda a história, garantindo-lhe que era uma trama dos ladrões da floresta, dos quais apenas três restavam, e que as marcas de giz branco e vermelho tinham algo a ver com isso. Ali Baba imediatamente deu a Morjana sua liberdade, dizendo que lhe devia sua vida. Eles então enterraram os corpos no jardim de Ali Baba, e as mulas foram vendidas no mercado por seus escravos.

O líder voltou para sua caverna solitária, que parecia assustadora para ele sem seus companheiros perdidos, e decidiu vingá-los matando Ali Baba. Ele se vestiu com cuidado e foi para a cidade, onde se hospedou em uma pousada. No decorrer de muitas viagens à floresta, ele carregou consigo muitos materiais ricos e muito linho fino e montou uma loja em frente à do filho de Ali Baba. Ele usava o nome falso de Cogia Hassan e, como era cortês e bem vestido, logo fez amizade com o filho de Ali Baba e, por meio dele, também com Ali Baba, quem ele sempre convidava para fartos jantares. Ali Baba, desejando retribuir sua gentileza, convidou-o a entrar em sua casa e o recebeu sorrindo, agradecendo-o por sua gentileza para com seu filho. Quando o mercador estava para partir, Ali Baba o deteve, dizendo:

– Aonde vai, senhor, com tanta pressa? Você não vai ficar e cear comigo?

O comerciante recusou, dizendo que tinha um motivo e, quando Ali Baba lhe perguntou o que era, ele respondeu:

– É que não posso comer alimentos que contenham sal.

– Não seja por isso – disse Ali Baba. – Não haverá sal na carne nem no pão que comeremos esta noite.

Ele foi dar essa ordem a Morjana, que ficou muito surpresa.

– Quem é este homem que não come sal na carne?

– Ele é um homem honesto, Morjana – respondeu seu mestre. – Portanto, faça o que eu mando.

Entretanto, Morjana não suportou a curiosidade de ver quem era aquele homem estranho, então ajudou Abdallah a carregar os pratos e percebeu que Cogia Hassan era o líder dos ladrões e que ele carregava uma adaga sob sua vestimenta.

— Não estou surpresa — disse ela para si mesma — que este homem perverso, que pretende matar meu senhor, não coma sal; mas vou atrapalhar seus planos.

Ela serviu a ceia de Abdallah, enquanto se preparava para um dos atos mais ousados em que se poderia pensar. Quando a sobremesa foi servida, Cogia Hassan foi deixado sozinho com Ali Baba e seu filho. O plano do líder era embebedar e matar os dois. Morjana, por sua vez, enfeitou os cabelos como uma dançarina, prendeu na cintura um cinto, do qual pendia uma adaga com cabo de prata, e disse a Abdallah:

— Pegue o seu tamborim, vamos divertir nosso mestre e seu convidado.

Abdallah pegou seu tamborim e tocou à frente de Morjana até chegarem à porta, onde Abdallah parou de tocar e a serva fez uma cortesia.

— Entre, Morjana — disse Ali Baba —, e deixe Cogia Hassan ver o que você sabe fazer.

Virando-se para Cogia Hassan, disse também:

— Ela é minha escrava e minha governanta.

Cogia Hassan não ficou nada satisfeito, pois temia que sua chance de matar Ali Baba tivesse acabado por enquanto, mas fingiu estar muito ansioso para ver Morjana e Abdallah tocarem e dançarem. Depois de várias danças, ela sacou a adaga e fez passes com ela, às vezes apontando para o próprio peito, às vezes para o do mestre, como se fosse parte da dança. De repente, sem fôlego, ela pegou o tamborim de Abdallah com a mão esquerda e, segurando a adaga na mão direita, passou o tamborim para seu mestre. Ali Baba e seu filho colocaram uma moeda de ouro nele, e Cogia Hassan, vendo que ela estava vindo até ele, puxou sua bolsa para dar-lhe algum presente também, mas, enquanto ele colocava a mão a bolsa, Morjana mergulhou a adaga em seu coração.

– Menina infeliz! – gritaram Ali Baba e seu filho. – O que você fez para nos prejudicar?

– Era para preservá-lo, mestre, não para prejudicá-lo – respondeu Morjana. – Veja aqui – disse, abrindo a vestimenta do falso comerciante e mostrando a adaga –, veja que inimigo você recepcionou! Olhe para ele! É o mesmo falso comerciante de óleo e capitão dos quarenta ladrões.

Ali Baba ficou tão grato a Morjana por ter salvado sua vida que ofereceu a ela seu filho em casamento, que prontamente consentiu, e poucos dias depois o casamento foi celebrado com grande esplendor.

No final de um ano, Ali Baba, sem ouvir nada sobre os dois ladrões remanescentes, julgou que eles estavam mortos e partiu para a caverna. A porta se abriu quando ele disse:

– Abra-te, Sésamo!

Ele entrou e viu que ninguém havia estado lá desde que o líder a deixara. Ele trouxe todo o ouro que pôde carregar e voltou para a cidade. Ali Baba contou ao filho o segredo da caverna, o qual seu filho passou, por sua vez, a seus netos e bisnetos.

O cego Baba-Abdalla

(de *As mil e uma noites*, Andrew Lang, 1898)

"Mas, Comandante dos Fiéis, existe um provérbio que diz: 'quanto mais se tem, mais se deseja'. E foi o que aconteceu comigo."

Eu nasci, Comandante dos Fiéis, em Bagdá, e fiquei órfão quando ainda era muito jovem, pois meus pais morreram com poucos dias de diferença. Eu havia herdado deles uma pequena fortuna, que trabalhei dia e noite para aumentar, até que finalmente me vi dono de oitenta camelos. Aluguei-os a mercadores viajantes, que eu frequentemente acompanhava em suas várias viagens e que sempre os devolviam com grandes lucros.

Um dia, eu voltava de Baçorá, para onde havia levado um suprimento de mercadorias destinadas à Índia, e parei ao meio-dia em um lugar solitário, que prometia pasto fértil para meus camelos. Eu estava descansando à sombra de uma árvore quando um dervixe[3], indo a pé em direção a Baçorá, sentou-se ao meu lado e perguntei de onde ele tinha vindo

3. Um dervixe é um praticante aderente ao islamismo sufista, que segue o caminho ascético da Tariqah (قيرط), conhecido pela sua extrema pobreza e austeridade.

e para onde estava indo. Logo ficamos amigos e, depois de fazermos um ao outro as perguntas de sempre, preparamos a comida que tínhamos conosco e saciamos nossa fome.

Enquanto comíamos, o homem mencionou por acaso que, em um local apenas um pouco afastado de onde estávamos sentados, havia um tesouro tão grande que, mesmo se meus oitenta camelos fossem carregados com o máximo que conseguissem levar, o esconderijo permaneceria praticamente intocado.

Com esta notícia quase fiquei fora de mim de alegria e ganância e lancei meus braços ao redor do pescoço do dervixe, exclamando:

– Bom homem, vejo claramente que as riquezas deste mundo não são nada para você, portanto, de que adianta você saber desse tesouro? Sozinho e a pé, você poderia carregar um mero punhado. Mas diga-me onde está e eu carregarei meus oitenta camelos com ele e lhe darei um deles como sinal de minha gratidão.

Certamente minha oferta não pareceu muito magnífica, mas para mim era ótima, pois com suas palavras uma onda de cobiça tomou conta do meu coração e quase senti como se os setenta e nove camelos que sobraram não fossem nada em comparação.

O homem viu muito bem o que se passava em minha mente, mas não demonstrou o que pensava de minha proposta.

– Meu irmão – respondeu baixinho –, você sabe tão bem quanto eu que está se comportando injustamente. O segredo pertencia a mim, mas o fato de eu ter contado sobre sua existência mostra que eu confiava em você e esperava ganhar sua gratidão para sempre, fazendo a sua fortuna assim como a minha. Mas antes de eu revelar a você o segredo do tesouro, você deve jurar que, depois de carregarmos os camelos com tanto quanto eles possam suportar, você vai me dar a metade deles, e vamos seguir nossos próprios caminhos. Acho que você percebe que isso seria justo.

É claro que não podia negar que o que o dervixe disse era perfeitamente razoável, mas, apesar disso, a ideia de que ele seria tão rico quanto eu era insuportável para mim. Ainda assim, não adiantava discutir o assunto, e eu tinha que aceitar suas condições ou lamentar até o fim da minha vida a perda de uma riqueza imensa. Então, peguei meus camelos e partimos juntos sob a orientação do homem. Depois de caminharmos um pouco, chegamos ao que parecia um vale, mas com uma entrada tão estreita que meus camelos só podiam passar um a um. O pequeno vale era fechado por duas montanhas, cujas encostas eram formadas por penhascos retos, que nenhum ser humano poderia escalar.

Quando estávamos exatamente entre essas montanhas, o dervixe parou.

– Faça seus camelos deitarem neste vale – disse ele – para que possamos colocar o carregamento neles facilmente; então iremos até o tesouro.

Fiz o que me foi pedido e juntei-me ao homem, que encontrei tentando acender o fogo com uma lenha seca. Assim que acendeu, ele jogou sobre ela um punhado de perfumes e pronunciou algumas palavras que eu não entendi, e imediatamente uma espessa coluna de fumaça se ergueu no ar. Ele separou a fumaça em duas colunas, e então eu vi uma rocha, que parecia um pilar entre as duas montanhas, ser aberta lentamente, e um esplêndido palácio aparecer dentro.

Mas, Comandante dos Fiéis, o amor pelo ouro tinha se apossado tanto do meu coração que nem pude parar para examinar as riquezas, então caí sobre a primeira pilha de ouro ao meu alcance e comecei a amontoá-la em um saco que trouxera comigo.

O homem também começou a trabalhar, mas logo percebi que ele se limitava a coletar pedras preciosas, e achei que seria sábio seguir seu exemplo. Por fim, os camelos foram carregados com tudo o que podiam carregar, e só nos restava selar nosso tesouro e seguir nossos caminhos.

Antes, porém, que isso fosse feito, o dervixe foi até um grande vaso de ouro e tirou dele uma pequena caixa de madeira, que escondeu nas suas roupas, dizendo apenas que ela continha um tipo especial de unguento. Então, ele acendeu mais uma vez o fogo, jogou o perfume e murmurou um feitiço desconhecido, fazendo com que a pedra se fechasse como a havíamos encontrado.

A próxima coisa foi dividir os camelos e carregá-los com o tesouro, e depois cada um de nós assumiu o comando do seu próprio grupo e marchou para fora do vale, até chegarmos ao lugar na estrada principal onde as rotas divergem. Finalmente, nós nos separamos, o dervixe indo para Baçorá, e eu para Bagdá. Abraçamo-nos ternamente e expressei minha gratidão pela honra que ele me prestara ao me escolher para dividir aquela grande riqueza e, depois de nos despedirmos calorosamente, viramos as costas e nos apressamos atrás de nossos camelos.

Eu mal tinha pensado em mim quando o demônio da inveja encheu minha alma.

– O que um dervixe quer com uma riqueza dessas? – perguntei a mim mesmo. – Só ele tem o segredo do tesouro e sempre pode conseguir o quanto quiser...

Pensando assim, parei meus camelos na beira da estrada e corri atrás dele.

Eu era um corredor rápido e não demorei muito para encontrá-lo.

– Meu irmão – exclamei, assim que pude falar –, quase no momento de nossa partida, uma reflexão me ocorreu, que talvez seja nova para você. Você é um dervixe e vive uma vida tranquila, preocupado apenas em fazer o bem, e não se importa muito com as coisas deste mundo. Você não percebe o peso que coloca sobre si mesmo ao juntar em suas mãos tamanha riqueza, além do fato de que ninguém, que não seja acostumado a camelos desde o nascimento, pode sempre controlar as feras teimosas? Se você for sábio, não se sobrecarregará com mais de trinta animais e achará isso o suficiente.

– Você tem razão – respondeu o dervixe, que me entendera muito bem, mas não quis discutir. – Eu confesso que não tinha pensado nisso. Escolha dez camelos que quiser e os leve com você.

Selecionei dez dos melhores camelos e seguimos pela estrada para nos juntar aos que eu havia deixado para trás. Eu consegui o que queria, mas achei o dervixe tão fácil de enganar que me lamentei por não ter pedido vinte camelos em vez de dez. Eu olhei para trás: ele tinha dado apenas alguns passos, e eu o chamei.

– Meu irmão – disse –, não posso me separar de você sem apontar o que acho que você não compreende: é preciso muita experiência em conduzir camelos para levar trinta dessa forma. Tenho certeza de que você seria muito mais feliz se confiasse mais dez deles a mim, pois, com a minha prática, não faz diferença se conduzo um ou cem.

Como antes, o dervixe não criou dificuldades e eu trouxe meus dez camelos a mais em triunfo, deixando-o apenas com vinte. Eu tinha agora sessenta camelos, e qualquer um imaginaria que eu estava contente.

Mas, Comandante dos Fiéis, existe um provérbio que diz: "quanto mais se tem, mais se deseja". E foi o que aconteceu comigo. Não descansaria enquanto restasse um único camelo ao dervixe e, voltando ao encontro dele, redobrei minhas orações, abraços e promessas de gratidão eterna, até que os últimos vinte estivessem em minhas mãos.

– Faça um bom uso deles, meu irmão – disse o homem santo. – Lembre-se de que as riquezas às vezes têm asas se as guardarmos para nós mesmos, e os pobres estão às nossas portas justamente para que possamos ajudá-los.

Meus olhos estavam tão cegos pelo ouro que não dei atenção ao seu sábio conselho e apenas procurei algo mais para agarrar. De repente, lembrei-me da caixinha de unguento que o dervixe havia escondido e que provavelmente continha um tesouro mais precioso do que todo o resto. Dando-lhe um último abraço, observei acidentalmente:

– O que você vai fazer com essa caixinha de unguento? Parece que não vale a pena levar com você; pode muito bem me deixar ficar com ela. E realmente um dervixe que desistiu do mundo não precisa de unguento!

Oh, se ele apenas tivesse recusado meu pedido! Mas, mesmo se tivesse, eu teria tomado a posse dela à força, tão grande era a loucura que se apoderou de mim. Porém, longe de recusar, o dervixe imediatamente a estendeu, dizendo graciosamente:

– Pegue, meu amigo, e se houver alguma coisa que eu possa fazer para deixá-lo feliz, me avise.

Assim que a caixa estava em minhas mãos, eu arranquei a tampa.

– Senhor – disse –, diga-me, eu lhe peço, quais são as virtudes deste unguento?

– Elas são muito curiosas e interessantes – respondeu o dervixe. – Se você aplicar um pouco no olho esquerdo, verá em um instante todos os tesouros escondidos nas entranhas da terra. Mas tome cuidado para não tocar no olho direito com ele ou sua visão será destruída para sempre.

Suas palavras excitaram minha curiosidade ao máximo.

– Faça um teste comigo, eu imploro! – gritei, estendendo a caixa para o dervixe. – Você saberá fazer isso melhor do que eu! Estou ardendo de impaciência para testar seus encantos.

O dervixe pegou a caixa que eu lhe estendi e, ordenando-me que fechasse o olho esquerdo, tocou-o suavemente com o unguento. Quando o abri novamente, vi espalhados, como se estivessem diante de mim, tesouros de todo tipo. Mas como todo esse tempo fui obrigado a manter o olho direito fechado, o que era muito fatigante, implorei ao dervixe que aplicasse a pomada também naquele olho.

– Se você insistir, eu o farei – respondeu o dervixe –, mas você deve se lembrar do que acabei de dizer, que se tocar seu olho direito você ficará cego na hora.

Infelizmente, apesar de eu ter provado a verdade das palavras do dervixe em tantos casos, eu estava firmemente convencido de que ele agora estava escondendo de mim alguma virtude oculta e preciosa do unguento. Então, ignorei tudo o que ele disse.

– Meu irmão – respondi sorrindo –, vejo que você está brincando. Não é natural que a mesma pomada tenha dois efeitos exatamente opostos.

– É verdade mesmo assim – respondeu o dervixe. – E seria bom para você se acreditasse em minha palavra.

Mas eu não queria acreditar e, deslumbrado pela ganância da avareza, pensei que, se um olho pudesse me mostrar as riquezas, o outro poderia me ensinar como obtê-las. E continuei a pressionar o dervixe para ungir meu olho direito, mas ele se recusou resolutamente a fazer isso.

– Depois de ter conferido tais benefícios a você – disse ele –, eu realmente não quero fazer-lhe esse mal. Pense no que é ser cego e não me obrigue a fazer o que você vai se arrepender enquanto viver.

Foi inútil.

– Meu irmão – disse eu com firmeza –, por favor, não diga mais nada, mas faça o que eu peço. Você respondeu generosamente aos meus desejos até agora, não estrague minha lembrança sua por algo de tão pouca importância. O que for que acontecer é responsabilidade minha, e nunca vou repreendê-lo.

– Já que você está decidido a isso – respondeu ele com um suspiro –, não adianta argumentar.

E, tomando a pomada, colocou um pouco no meu olho direito, que estava bem fechado. Quando tentei abri-lo, pesadas nuvens de escuridão flutuaram diante de mim. Eu estava tão cego quanto você me vê agora!

– Dervixe miserável! – gritei. – Então é verdade, afinal! Em que buraco sem fundo minha cobiça por ouro me mergulhou. Ah, agora que meus olhos estão fechados, eles estão realmente abertos. Eu sei que todos os meus sofrimentos são causados apenas por mim mesmo! Mas, bom irmão, você, que é tão bom e caridoso e conhece os segredos de tão vasto saber, não tem nada que me devolva a visão?

– Homem infeliz – respondeu o dervixe –, não é minha culpa que isso tenha acontecido a você, mas é um justo castigo. A cegueira de seu coração criou a cegueira de seu corpo. Sim, eu tenho segredos, como você tem visto no curto espaço de tempo em que nos conhecemos, mas nenhum deles lhe devolverá a visão. Você se provou indigno das riquezas que lhe foram dadas. Agora, elas passarão para as minhas mãos, de onde fluirão para as mãos de outros menos gananciosos e ingratos do que você.

O dervixe não disse mais nada e me deixou, sem palavras de vergonha e confusão, e tão miserável que fiquei enraizado no local, enquanto ele recolhia os oitenta camelos e prosseguia seu caminho para Baçorá. Foi em vão que implorei a ele que não me deixasse e que pelo menos me deixasse ao alcance da primeira caravana que passasse. Ele estava surdo às minhas orações e gritos, e eu logo estaria morto de fome e miséria se alguns mercadores não tivessem vindo pela estrada no dia seguinte e gentilmente me levado de volta a Bagdá.

De homem rico, em um momento me tornei um mendigo e até agora tenho vivido exclusivamente das esmolas que me foram dadas. Mas, para expiar o pecado da avareza, que me destruiu, obrigo cada um que passa a me dar um golpe.

Esta, Comandante dos Fiéis, é a minha história.

Quando o cego terminou, o califa dirigiu-se a ele:

— Baba-Abdalla, realmente seu pecado é grande, mas você já sofreu o suficiente. A partir de agora, arrependa-se em particular, pois garantirei que dia a dia lhe seja dado dinheiro suficiente para todas as suas necessidades.

Com essas palavras, Baba-Abdalla se jogou aos pés do califa e rezou para que a honra e a felicidade não acabassem nunca.

As duas irmãs que tinham ciúme de sua irmã mais nova

(de *As mil e uma noites*. Andrew Lang, 1898)

Nesta curiosa história adicionada posteriormente por Galland ao Mil e uma noites, *o sultão estava vagando pela cidade disfarçado quando ouviu três irmãs falando sobre com quem desejariam se casar. Ele decide realizar seus devaneios, mas as coisas não saíram tão bem quanto o esperado.*

Era uma vez nos reinos da Pérsia um sultão chamado Kosrouschah, que desde a infância gostava de se disfarçar e buscar aventuras em todas as partes da cidade, acompanhado por um de seus oficiais, também disfarçado como ele. Assim que seu pai foi enterrado e as cerimônias que marcaram sua ascensão ao trono foram realizadas, o jovem se apressou em se livrar de suas vestes suntuosas e, chamando seu vizir para se aprontar da mesma forma, roubou uma roupa simples de um cidadão particular nas ruas menos conhecidas da capital.

Ao passar por uma rua deserta, o sultão ouviu vozes femininas discutirem e, espiando por uma fresta na porta, ele viu três irmãs sentadas em um sofá em um grande corredor, conversando de uma maneira muito animada. A julgar pelas poucas palavras que alcançaram seus ouvidos, cada uma estava explicando com que tipo de homem desejava se casar.

— Não peço nada melhor — exclamou a mais velha — do que ter por marido o padeiro do sultão. Pense em poder comer o quanto quiser daquele pão delicioso que se assa só para sua alteza! Vejamos se seu desejo é tão bom quanto o meu.

— Eu — respondeu a segunda irmã — ficaria muito contente com o cozinheiro chefe do sultão. Que delicados guisados eu poderia comer! Veja, minha querida irmã, meu gosto é tão bom quanto o seu.

Agora era a vez da irmã mais nova, que era de longe a mais bonita das três e tinha, além disso, mais bom senso do que as outras duas.

— Quanto a mim — disse ela —, deveria voar mais alto; e, se quisermos ter maridos, nada menos do que o próprio sultão me satisfará.

O sultão se divertiu tanto com a conversa que decidiu satisfazer seus desejos e, voltando-se para o grão-vizir, pediu-lhe que anotasse que casa era aquela e, na manhã seguinte, trouxesse as damas a seu palácio.

O grão-vizir cumpriu sua missão e, mal lhes dando tempo para trocar de vestido, desejou que as três irmãs o seguissem. Lá, elas foram anunciadas uma a uma e, quando elas se curvaram diante do sultão, o soberano abruptamente lhes perguntou:

— Digam-me, vocês se lembram do que desejaram ontem à noite, quando estavam se divertindo? Não temam nada, mas me respondam a verdade.

Essas palavras tão inesperadas deixaram as irmãs em grande confusão, e o rubor da mais jovem não deixou de impressionar o coração do sultão. As três permaneceram em silêncio, e ele apressou-se a continuar:

– Não temam, não tenho a menor intenção de causar-lhes dor, e deixem-me dizer-lhes de uma vez que conheço os desejos de cada uma. Você – disse ele voltando-se para a mais jovem –, que desejava me ter por marido, ficará satisfeita hoje mesmo. E vocês – acrescentou ele, dirigindo-se às outras duas – se casarão no mesmo momento com meu padeiro e meu cozinheiro chefe.

Quando o sultão terminou de falar, as três irmãs se lançaram a seus pés, e a mais jovem disse:

– Oh, senhor, já que você conhece minhas palavras tolas, acredite, eu lhe imploro, que elas foram ditas apenas em brincadeira. Eu não sou digna da honra que você se propõe a me fazer e só posso pedir perdão por minha ousadia.

As outras irmãs também tentaram se desculpar, mas o sultão não quis ouvir nada.

– Não, não – disse ele –, estou decidido. Seus desejos serão realizados.

Assim, os três casamentos foram celebrados naquele mesmo dia, mas com uma grande diferença. O da mais jovem foi marcado por toda a magnificência habitual do casamento de um sultão, ao passo que as festividades das núpcias do padeiro do sultão e de seu cozinheiro chefe foram apenas as adequadas às suas condições.

Isso, embora bastante natural, foi muito desagradável para as irmãs mais velhas, que ficaram com tanta inveja que, no final, causaram muitos problemas e dor a várias pessoas. Na primeira vez que tiveram a oportunidade de se falar, apenas dias depois, nem tentaram disfarçar seus sentimentos.

– Você consegue entender o que o sultão viu naquela menina – disse uma a outra – para ele ficar tão fascinado por ela?

– Ele deve ser muito cego – respondeu a esposa do cozinheiro chefe. – Quanto a ela parecer um pouco mais jovem do que nós, o que isso importa? Você seria uma sultana muito melhor do que ela.

– Oh, eu não digo nada de mim mesma – respondeu a mais velha. – Se o sultão tivesse escolhido você, tudo estaria muito bem; mas realmente me entristece que ele tenha escolhido uma criaturinha miserável como aquela. No entanto, eu vou me vingar dela de alguma forma, e eu imploro que você me dê sua ajuda no assunto e me diga se tiver alguma ideia de como matá-la.

Para levar a cabo seu plano perverso, as duas irmãs se reuniam constantemente para conversar sobre suas ideias, embora o tempo todo fingissem ser tão amistosas como normalmente eram com a sultana, que, por sua parte, sempre as tratava com gentileza. Por muito tempo, nenhum plano passou pelas cabeças das irmãs, que pareciam ter pouquíssima probabilidade de sucesso, mas, por fim, o esperado nascimento de um herdeiro deu-lhes a chance que tanto esperavam.

Elas obtiveram permissão do sultão para morar no palácio por algumas semanas e não deixaram sua irmã em nenhum momento. Quando finalmente nasceu um garotinho, lindo como o sol, elas o colocaram em seu berço e o carregaram para um canal que passava pelos jardins do palácio. Então, deixando-o entregue ao seu destino, informaram ao sultão que, em vez do filho que tanto desejara, a sultana dera à luz um cachorrinho. Com essas notícias terríveis, o sultão ficou tão tomado de raiva e tristeza que foi com grande dificuldade que o grão-vizir conseguiu salvar a sultana de sua ira.

Enquanto isso, o berço continuava a flutuar pacificamente ao longo do canal até que, nos arredores dos jardins reais, foi repentinamente percebido pelo intendente, um dos mais altos e respeitados funcionários do reino.

– Vá – disse ele a um jardineiro que estava trabalhando perto – e pegue esse berço para mim.

O jardineiro obedeceu e logo colocou o berço nas mãos do intendente.

O oficial ficou muito surpreso ao ver que o berço, que ele supunha estar vazio, continha um bebê, que, apesar de jovem, já prometia grande beleza. Não tendo filhos, embora já estivesse casado há alguns anos, imediatamente lhe ocorreu que ali estava uma criança que ele poderia criar como sua. Ordenando ao homem que pegasse o berço e o seguisse, voltou-se em direção à sua casa.

– Minha esposa – exclamou ele ao entrar na sala –, o céu nos negou um filho, mas aqui está um que foi enviado em seu lugar. Chame uma enfermeira, e farei o que for necessário publicamente para reconhecê-lo como meu filho.

A esposa aceitou o bebê com alegria e, embora o intendente visse muito bem que devia ter vindo do palácio real, não achou que fosse sua função investigar mais a fundo o mistério.

No ano seguinte, outro príncipe nasceu e ficou à deriva, mas felizmente para o bebê o intendente dos jardins novamente caminhava à beira do canal e o carregou para casa como fizera com o outro.

O sultão, naturalmente, ficou ainda mais furioso da segunda vez do que da primeira, mas, quando o mesmo acidente curioso se repetiu no terceiro ano, ele não conseguiu mais se controlar e, para grande alegria das irmãs ciumentas, ordenou que a sultana fosse executada. Contudo, a pobre senhora era tão amada na corte que nem mesmo o medo de compartilhar seu destino poderia impedir o grão-vizir e os cortesãos de se atirarem aos pés do sultão e implorarem que ele não infligisse um castigo tão cruel pelo que, afinal, não havia sido culpa dela.

— Deixe-a viver — suplicou o grão-vizir. — Apenas a afaste de sua presença pelo resto de seus dias. Isso por si só já será um castigo suficiente.

Passado o ódio, o sultão recuperou o autodomínio.

— Deixe-a viver, então — disse ele —, já que vocês a consideram tão especial. Mas, se eu conceder a vida a ela, será apenas com uma condição, que a fará pedir diariamente pela morte. Que uma prisão seja construída para ela na porta da mesquita principal e que a janela desse lugar esteja sempre aberta. Lá ela se sentará, com as roupas mais grosseiras, e todo muçulmano que entrar na mesquita cuspirá em seu rosto enquanto passar. Qualquer um que se recusar a obedecer deverá ser exposto ao mesmo castigo. Você, vizir, fará com que minhas ordens sejam cumpridas.

O grão-vizir viu que era inútil dizer mais nada e, cheias de triunfo, as irmãs observaram a construção do lugar e depois ouviram as zombarias das pessoas à desamparada sultana, que ficava sentada lá dentro. Mas a pobre senhora portava-se com tanta dignidade e mansidão que não demorou muito para conquistar a simpatia dos melhores entre a multidão.

Agora é hora de voltar ao destino do terceiro bebê, desta vez uma princesa. Como seus irmãos, ela foi encontrada pelo intendente dos jardins, adotada por ele e sua esposa, e os três foram criados com o maior cuidado e ternura.

À medida que as crianças cresciam, sua beleza e seu ar de distinção tornavam-se cada vez mais marcantes, e suas maneiras tinham toda a graça das pessoas de nascimento nobre. Os príncipes foram nomeados por seu pai adotivo como Bahman e Perviz, em homenagem a dois dos antigos reis da Pérsia, enquanto a princesa foi chamada de Parizade ou filha dos gênios.

O intendente teve o cuidado de educá-los de acordo com sua posição real e logo nomeou um tutor para ensinar os jovens príncipes a ler e escrever. A princesa, decidida a não ser deixada para trás, mostrou-se tão ansiosa por aprender com os irmãos que o intendente consentiu que participasse das aulas, e não demorou muito para que ela soubesse tanto quanto eles.

A partir dessa época, todos os seus estudos foram feitos juntos. Eles tinham os melhores mestres para as artes plásticas, geografia, poesia, história e ciências, e mesmo para as ciências, que são aprendidas por poucos, cada matéria parecia tão fácil para eles que seus professores ficavam espantados com o progresso que faziam. A princesa tinha paixão por música e podia cantar e tocar todos os tipos de instrumentos. Ela também sabia montar e dirigir tão bem quanto seus irmãos, atirar com um arco e flecha e lançar um dardo com a mesma habilidade que eles e às vezes melhor ainda.

O intendente resolveu que seus filhos adotivos não deveriam mais ficar presos nas estreitas fronteiras dos jardins do palácio, onde sempre moraram, por isso comprou uma esplêndida casa de campo a poucos quilômetros da capital, rodeada por um imenso parque. Este parque ele encheu de animais selvagens de vários tipos para que os príncipes e a princesa pudessem caçar o quanto quisessem.

Quando tudo ficou pronto, o intendente atirou-se aos pés do sultão e, após referir-se à sua idade e aos seus longos serviços, implorou à sua alteza a autorização para renunciar ao cargo. Isso foi concedido pelo sultão em poucas palavras graciosas, e ele então perguntou que recompensa ele poderia dar a seu servo fiel. O intendente declarou que não desejava nada, exceto a continuação da proteção de sua alteza e, prostrando-se mais uma vez, retirou-se da presença do sultão.

Cinco ou seis meses se passaram quando a morte atacou o intendente tão repentinamente que ele não teve tempo de revelar aos filhos adotivos o segredo de seu nascimento e, como sua esposa também havia morrido, tudo levava a crer que os príncipes e a princesa nunca saberiam que nasceram em uma posição superior à que ocupavam. A tristeza pelo pai era muito profunda, e eles viveram em silêncio em sua nova casa, sem sentir qualquer desejo de deixá-la para brincadeiras ou intrigas da corte.

Um dia, os príncipes, como de costume, saíram para caçar, mas sua irmã ficou sozinha em seus aposentos. Enquanto eles estavam fora, uma velha devota muçulmana apareceu à porta e pediu licença para entrar, pois era hora da oração. A princesa deu ordens imediatamente para que a velha fosse levada ao oratório particular no terreno e, quando ela terminasse suas orações, visitasse a casa e os jardins, encontrando-se depois com ela.

Embora a velha fosse muito piedosa, ela não era indiferente à magnificência de tudo ao seu redor, que ela parecia entender bem como admirar, e, depois de ver tudo, foi conduzida pelos servos diante da princesa, que estava sentada em uma sala que superava em esplendor todas as outras.

– Minha boa mulher – disse a princesa indicando um sofá –, venha sentar-se ao meu lado. Estou muito feliz com a oportunidade de falar por alguns momentos com uma pessoa tão sagrada.

A velha fez algumas objeções a tanta honra que lhe era prestada, mas a princesa recusou-se a ouvir e insistiu que a sua convidada ocupasse o melhor lugar e, como ela pensava estar cansada, pediu refrescos.

Enquanto a velha comia, a princesa lhe fez várias perguntas sobre seu modo de vida e suas práticas religiosas, e então perguntou o que ela achava da casa, agora que a tinha visto.

– Senhora – respondeu a peregrina –, como poderia encontrar qualquer defeito? É bonita, confortável e bem organizada, e é impossível imaginar algo mais lindo do que o jardim. Mas, já que você me perguntou, eu devo confessar que faltam três coisas para torná-la absolutamente perfeita.

– E o que podem ser essas coisas? – gritou a princesa. – Apenas me diga e não perderei tempo em providenciá-las.

– As três coisas, senhora – respondeu a velha –, são, em primeiro lugar, o pássaro falante, cuja voz atrai todos os outros pássaros cantores, para se juntarem em coro. Em segundo lugar, a árvore cantante, em que cada folha é uma canção, então o jardim nunca é silencioso. E, por último, a água dourada, da qual basta derramar uma única gota em uma bacia para que caia em uma fonte, que nunca se exaure, nem a bacia jamais transbordará.

– Oh, como posso agradecê-la – exclamou a princesa – por me contar sobre esses tesouros! Mas, peço-lhe, à sua bondade, que me informe também onde posso encontrá-los.

– Senhora – respondeu a peregrina –, eu não estaria retribuindo a hospitalidade que me mostrou se me recusasse a responder à sua pergunta. As três coisas de que falei podem ser encontradas em um só lugar, nas fronteiras deste reino, em direção à Índia. Seu mensageiro só tem que seguir a estrada que passa por sua casa por vinte dias e, ao final desse tempo, ele deve pedir o pássaro falante, a árvore cantante e a água dourada à primeira pessoa que encontrar. – Ela então se levantou e, despedindo-se da princesa, seguiu seu caminho.

A velha partira tão abruptamente que a princesa Parizade não percebeu até que ela se foi que as instruções dificilmente haviam sido claras o suficiente para permitir o sucesso da busca. Ela ainda estava pensando no assunto e como seria maravilhoso possuir tais raridades quando os príncipes, seus irmãos, voltaram da caçada.

– Qual é o problema, minha irmã? – perguntou o príncipe Bahman. – Por que você está tão séria? Você está doente? Ou algo aconteceu?

A princesa Parizade não respondeu diretamente, mas, por fim, ergueu os olhos e respondeu que não havia nada de errado.

– Mas deve haver algo – persistiu o príncipe Bahman – para que você tenha mudado tanto durante o curto período em que estivemos ausentes. Não esconda nada de nós, eu imploro, a menos que queira que acreditemos que a confiança que sempre tivemos um no outro agora deva cessar.

– Quando eu disse que não era nada – disse a princesa, comovida com suas palavras –, quis dizer que não foi nada que o afetasse, embora admita que é certamente de alguma importância para mim. Como eu, você sempre pensou que esta casa que nosso pai construiu para nós era perfeita em todos os aspectos, mas só hoje descobri que ainda faltam três coisas para completá-la. São eles: o pássaro falante, a árvore cantante e a água dourada.

Depois de explicar as qualidades peculiares de cada um, a princesa continuou:

— Foi uma devota muçulmana que me contou tudo isso e onde todos eles podem ser encontrados. Talvez você pense que a casa é bonita o suficiente como é e que podemos ficar muito bem sem essas coisas, mas nisto não posso concordar com você, e eu nunca ficarei satisfeita até que eu as tenha. Portanto, aconselhe-me, eu peço, sobre quem enviar para essa missão.

— Minha querida irmã — respondeu o príncipe Bahman —, é o suficiente você se preocupar com um assunto, mesmo que não tenhamos interesse nele. Entretanto, eu reivindico, como o mais velho, o direito de fazer a primeira tentativa, se você me disser para onde devo ir e que passos devo tomar.

O príncipe Perviz, a princípio, foi contra; seu irmão não deveria ter permissão para se expor ao perigo, mas o príncipe Bahman nada ouviu e retirou-se para fazer os preparativos necessários para sua viagem.

Na manhã seguinte, o príncipe Bahman levantou-se muito cedo e, depois de se despedir de seu irmão e irmã, montou em seu cavalo, mas, quando estava prestes a tocá-lo com o chicote, foi interrompido por um grito da princesa.

— Oh, talvez, afinal de contas, você nunca mais volte; nunca se sabe quais acidentes podem acontecer! Desista, eu te imploro, pois eu preferiria mil vezes perder o pássaro falante, a árvore cantante e a água dourada do que colocá-lo em perigo.

– Minha querida irmã – respondeu o príncipe –, acidentes só acontecem com pessoas azaradas, e espero que eu não seja uma delas. Mas como tudo é incerto, prometo que tomarei muito cuidado. Pegue esta faca – continuou ele, entregando-lhe uma que estava pendurada na bainha de seu cinto – e, de vez em quando, puxe-a para fora e olhe para ela. Contanto que ela continue brilhante e limpa como está hoje, você saberá que estou vivo; mas, se a lâmina estiver manchada de sangue, será um sinal de que estou morto, e você deve chorar por mim.

Assim dizendo, o príncipe Bahman despediu-se deles mais uma vez e partiu para a estrada, bem montado e totalmente armado. Durante vinte dias, ele cavalgou em linha reta, sem virar nem para a direita nem para a esquerda, até que se viu chegando perto das fronteiras da Pérsia. Sentado sob uma árvore à beira do caminho, ele notou um velho horrível, com um longo bigode branco e uma barba que quase caía até seus pés. Suas unhas eram muito grandes e na cabeça ele usava um enorme chapéu, que lhe servia de guarda-chuva.

O príncipe Bahman, que, lembrando-se das instruções da velha, esteve desde o nascer do sol à espreita de alguém, reconheceu imediatamente o velho como um dervixe. Ele desceu de seu cavalo e curvou-se diante do homem santo, dizendo como forma de saudação:

— Meu pai, que seus dias sejam longos na terra e que todos os seus desejos sejam realizados!

O dervixe fez o que pôde para responder, mas seu bigode era tão grosso que suas palavras dificilmente foram inteligíveis, e o príncipe, percebendo o que estava acontecendo, tirou uma tesoura dos bolsos da sela e pediu permissão para cortar um pouco do bigode, pois tinha uma pergunta de grande importância para fazer a ele. O dervixe fez um sinal de que poderia fazer o que quisesse e, quando alguns centímetros de seu cabelo e barba foram aparados, o príncipe garantiu ao santo homem que ele dificilmente acreditaria como parecia mais jovem. O dervixe sorriu de volta e agradeceu o que fizera.

— Deixe-me — disse ele — mostrar minha gratidão por me deixar mais confortável, dizendo-me o que posso fazer por você.

— Gentil dervixe — respondeu o príncipe Bahman —, venho de longe e procuro o pássaro falante, a árvore cantante e a água dourada. Sei que eles podem ser encontrados em algum lugar por aqui, mas não sei o local exato. Diga-me, peço-lhe, onde posso encontrá-los para que eu não tenha viajado em uma busca inútil.

Enquanto falava, o príncipe notou uma mudança no semblante do dervixe, que esperou algum tempo antes de responder.

— Meu senhor — disse ele por fim —, conheço o caminho que você pede, mas sua bondade e amizade me fazem relutar em apontá-lo.

— Mas por quê? — perguntou o príncipe. — Que perigo pode haver?

— O maior perigo — respondeu o dervixe. — Outros homens, tão corajosos quanto você, cavalgaram por esta estrada e me fizeram essa pergunta. Eu fiz o meu melhor para desviá-los também de seu propósito, mas foi inútil. Nenhum deles deu ouvidos às minhas palavras e nenhum deles voltou. Seja avisado a tempo e não procure ir mais longe.

— Sou grato a você por seu interesse em mim — disse o príncipe Bahman — e pelo conselho que deu, embora eu não possa segui-lo. Mas que perigos pode haver nessa aventura que a coragem e uma boa espada não podem enfrentar?

— Suponha — respondeu o dervixe — que seus inimigos sejam invisíveis, como então?

— Nada me fará desistir — respondeu o príncipe — e, pela última vez, peço que me diga para onde devo ir.

Quando o dervixe viu que o príncipe estava decidido, tirou uma bola de uma bolsa que estava perto dele.

— Se for assim — disse ele com um suspiro, entregando-lhe a bola —, pegue isto e, quando estiver montado em seu cavalo, jogue a bola na sua frente. Ela rolará até chegar ao pé de uma montanha e, quando ela parar, você também parará. Você então jogará a rédea no pescoço do seu cavalo, sem medo de que ele se desvie, e desmontará. De cada lado, você verá montanhas de grandes pedras pretas e ouvirá uma infinidade de vozes insultantes, mas não preste atenção a elas e, acima de tudo, cuidado para nunca virar a cabeça. Se o fizer, você se tornará instantaneamente uma pedra negra como o resto, pois essas pedras são, na realidade, homens como você, que estiveram na mesma busca e falharam. É por isso que temo que você também possa falhar. Se você conseguir evitar essa armadilha e chegar ao topo da montanha, você encontrará lá o pássaro falante em uma gaiola esplêndida e você pode perguntar a ele onde deve buscar a árvore cantante e a água dourada. Isso é tudo que tenho a dizer. Você sabe o que deve fazer e o que evitar, mas, se você for sábio, não pensará mais nisso e voltará de onde veio.

O príncipe balançou a cabeça sorrindo e, agradecendo ao dervixe mais uma vez, montou em seu cavalo e jogou a bola diante dele.

A bola rolou pela estrada tão rápido que o príncipe Bahman teve muita dificuldade em acompanhá-la e não diminuiu sua velocidade até que o pé da montanha foi alcançado. Então, ela parou repentinamente, e o príncipe imediatamente se abaixou e atirou a rédea no pescoço do cavalo. Ele parou por um momento e olhou em volta para as massas de pedras pretas com as quais as encostas da montanha estavam cobertas e então começou a subir resolutamente. Ele mal tinha dado quatro passos quando ouviu o som de vozes ao seu redor, embora nenhuma outra criatura estivesse à vista.

– Quem é esse imbecil? – gritaram alguns.

– Pare-o imediatamente.

– Mate-o – gritavam outros.

– Socorro! Ladrões! Assassinos! Socorro! Socorro!

– Oh, deixe-o em paz – zombou outro –, ele é um jovem tão bonito; tenho certeza de que o pássaro e a gaiola devem ter sido guardados para ele.

A princípio, o príncipe não deu atenção aos insultos e continuou a avançar em seu caminho. Infelizmente esta conduta, em vez de silenciar as vozes, parecia apenas irritá-las ainda mais, e elas surgiam com fúria redobrada, tanto na frente como atrás dele. Depois de algum tempo, o príncipe ficou confuso, seus joelhos começaram a tremer e, percebendo que ia cair, esqueceu por completo o conselho do dervixe. Ele se virou para descer montanha abaixo e, em um momento, tornou-se uma pedra negra.

Como se pode imaginar, o príncipe Perviz e sua irmã estavam todo esse tempo na maior ansiedade e consultavam a faca mágica não uma, mas muitas vezes ao dia. Até então, a lâmina permanecera brilhante e sem manchas, mas, na hora fatal em que o príncipe Bahman e seu cavalo foram transformados em pedras negras, grandes gotas de sangue apareceram na superfície.

– Ah! Meu amado irmão! – exclamou a princesa com horror, jogando longe a faca. – Nunca mais te verei, e fui eu que te matei. Tola que fui ouvir a voz daquela tentadora, que provavelmente não estava falando a verdade. O que são o pássaro falante e a árvore cantante para mim em comparação com você, embora eu os deseje!

O pesar do príncipe Perviz pela perda do irmão não foi menor do que o da princesa Parizade, mas ele não perdeu tempo com lamentações inúteis.

— Minha irmã — disse ele —, por que você deveria pensar que a velha estava enganando você sobre esses tesouros e qual teria sido o objetivo dela ao fazer isso? Não, não, nosso irmão deve ter encontrado a morte por algum acidente ou por falta de precaução, e amanhã vou partir na mesma busca.

Aterrorizada com a ideia de perder seu único irmão restante, a princesa implorou que ele desistisse de sua ideia, mas ele permaneceu firme. Antes de partir, porém, ele deu a ela um colar de cem pérolas e disse:

— Quando eu estiver ausente, olhe diariamente para isso. Se você descobrir que as contas ficaram presas, de forma que elas deslizem uma depois da outra, você saberá que o destino do meu irmão se abateu sobre mim. Ainda assim, devemos esperar por melhor sorte.

Então ele partiu e, no vigésimo dia de sua jornada, encontrou o dervixe no mesmo local em que o príncipe Bahman o havia encontrado e começou a questioná-lo sobre o lugar onde o pássaro falante, a árvore cantante e a água dourada podiam ser encontrados. Como no caso do irmão, o dervixe tentou fazê-lo desistir de seu projeto e até lhe disse que fazia apenas algumas semanas que um jovem, muito parecido com ele, havia passado por ali, mas nunca mais havia voltado.

— Aquele, santo dervixe — respondeu o príncipe Perviz —, era meu irmão mais velho, que agora está morto, embora eu não saiba como ele morreu.

— Ele se transformou em uma pedra negra — respondeu o dervixe — como todos os outros que partiram na mesma missão, e você também se tornará uma se não for mais cuidadoso em seguir minhas instruções.

Então ele avisou o príncipe que, se ele valorizava sua vida, não desse atenção ao clamor das vozes que o perseguiriam montanha acima e, entregando-lhe uma bola da sacola, que ainda parecia estar pela metade, desejou-lhe boa viagem.

Quando o príncipe Perviz alcançou o sopé da montanha, saltou do cavalo e parou por um momento para lembrar as instruções que o dervixe lhe dera. Em seguida, ele avançou com ousadia, mas mal tinha dado cinco ou seis passos quando foi surpreendido por uma voz masculina que parecia perto de seu ouvido, exclamando:

– Pare, camarada precipitado, e deixe-me punir sua audácia.

Esse ultraje tirou inteiramente o conselho do dervixe da cabeça do príncipe. Ele desembainhou a espada e voltou-se para se vingar, mas, quase antes de perceber que não havia ninguém ali, ele e seu cavalo eram duas pedras pretas.

Não se passara uma manhã desde que o príncipe Perviz partira sem que a princesa Parizade olhasse o colar e à noite ela até o pendurava no pescoço para que, se acordasse, pudesse se assegurar imediatamente da segurança do irmão. Ela estava com o objeto entre os dedos no momento em que o príncipe se tornou vítima de sua impaciência e seu coração afundou quando a primeira pérola permaneceu fixa em seu lugar. No entanto, ela já havia decidido o que faria nesse caso e, na manhã seguinte, a princesa, disfarçada de homem, partiu para a montanha.

Como estava acostumada a cavalgar desde a infância, conseguiu viajar tantos quilômetros por dia quanto os irmãos e foi, como antes, no vigésimo dia que chegou ao local onde estava sentado o dervixe.

– Bom dervixe – disse ela educadamente –, permita que eu descanse com você por alguns momentos e talvez faça a gentileza de me dizer se você já ouviu falar de um pássaro falante, de uma árvore cantante e da água dourada, que podem ser encontrados em algum lugar perto daqui.

– Senhora – respondeu o dervixe –, apesar de sua vestimenta viril, sua voz a trai. Terei orgulho de servi-la de todas as maneiras que puder. Mas posso perguntar o propósito de sua pergunta?

– Bom dervixe – respondeu a princesa –, ouvi descrições tão brilhantes dessas três coisas que não posso descansar até que as possua.

– Senhora, eles são muito mais bonitos do que qualquer descrição, mas você parece ignorar todas as dificuldades que se colocam em seu caminho ou dificilmente teria empreendido tal aventura. Desista, eu lhe peço, e volte para casa, e não me peça para ajudá-la a ter uma morte cruel.

– Venho de longe e ficaria desesperada se voltasse sem ter alcançado o meu objetivo. Você falou das dificuldades; diga-me, suplico-lhe, quais são elas, para que eu possa saber se consigo superá-las ou ver se estão além de minhas forças.

O dervixe repetiu sua história e se deteve com mais firmeza do que antes no clamor das vozes, nos horrores das pedras negras, que já foram homens vivos, e nas dificuldades de escalar a montanha. Ele ressaltou que o principal meio de sucesso era nunca olhar para trás até que você tivesse a gaiola em suas mãos.

– Pelo que posso ver – disse a princesa –, a primeira coisa é não se importar com o tumulto das vozes que te seguem até chegar à gaiola e então nunca olhar para trás. Quanto a isso, acho que tenho autocontrole suficiente para fazer, mas, como é bem possível que eu me assuste com as vozes, como até mesmo os homens mais ousados se assustam, vou tapar meus ouvidos com algodão para que, mesmo que eles façam barulho, eu não os ouça.

– Senhora – gritou o dervixe –, de todos os que me perguntaram o caminho para a montanha, você é a primeira a sugerir tal meio de escapar do perigo! É possível que tenha sucesso, mas, mesmo assim, o risco é grande.

– Bom dervixe – respondeu a princesa –, sinto em meu coração que terei sucesso e só me resta perguntar o caminho que devo seguir.

Então o dervixe disse que não adiantava dizer mais nada e deu-lhe a bola, que ela atirou à sua frente.

A primeira coisa que a princesa fez ao chegar à montanha foi tapar os ouvidos com algodão e, em seguida, decidindo qual era o melhor caminho a seguir, iniciou a subida. Apesar do algodão, alguns ecos das vozes chegavam a seus ouvidos, mas não de forma a incomodá-la. Na verdade, embora as vozes ficassem mais altas e mais ofensivas quanto mais alto ela subia, a princesa apenas ria e dizia a si mesma que certamente não permitiria que algumas palavras ásperas se interpusessem entre ela e seu objetivo. Por fim, ela percebeu ao longe a gaiola e o pássaro, cuja voz se juntou em tons de trovão às dos demais:

– Volte, volte! Vá embora! Nunca ouse chegar perto de mim.

Ao avistar o pássaro, a princesa apressou os passos e, sem se irritar com o barulho que a essa altura havia se tornado ensurdecedor, ela caminhou direto para a gaiola. Agarrando-a, disse:

– Agora, minha ave, eu tenho você e eu vou cuidar bem para que não escape.

Enquanto falava, ela tirou o algodão das orelhas, pois não era mais necessário.

– Valente senhora – respondeu o pássaro –, não me culpe por ter unido minha voz àqueles que fizeram o possível para preservar minha liberdade. Embora confinado em uma gaiola, estava contente com minha sorte, mas, se devo me tornar um escravo, não poderia desejar uma senhora mais nobre do que você, que tem mostrado tanta constância e, a partir deste momento, juro servi-la fielmente. Algum dia você me colocará à prova, pois eu sei quem você é melhor do que você mesma. Enquanto isso, diga-me o que posso fazer e obedecerei.

— Pássaro — respondeu a princesa, que se encheu de uma alegria que lhe pareceu estranha ao pensar que o pássaro havia custado a vida de seus dois irmãos —, pássaro, deixe-me primeiro agradecer por sua boa vontade e depois deixe-me perguntar onde posso encontrar a água dourada.

O pássaro descreveu o lugar, que não ficava muito longe, e a princesa encheu um pequeno cantil de prata que trouxera. Ela então se voltou para a gaiola e disse:

— Pássaro, ainda há outra coisa, onde posso encontrar a árvore cantante?

— Atrás de você, naquela floresta — respondeu o pássaro.

E a princesa vagou pela floresta até que o som das mais doces vozes lhe disse que havia encontrado o que procurava. Mas a árvore era alta e forte, assim, era inútil pensar em arrancá-la.

— Você não precisa fazer isso — disse o pássaro, quando ela voltou para pedir um conselho. — Quebre um galho e plante-o em seu jardim, e ele criará raízes e se tornará uma árvore magnífica.

Quando a princesa Parizade segurou em suas mãos as três maravilhas prometidas pela velha, ela disse ao pássaro:

— Tudo isso não basta. Foi devido a você que meus irmãos se tornaram pedras negras. Você deve mostrá-los para mim, eu imploro, pois eu desejo levá-los embora.

Por alguma razão que a princesa não conseguiu adivinhar, essas palavras pareceram desagradar o pássaro, e ele não respondeu. A princesa esperou um momento e então continuou em tom severo:

— Esqueceu-se de que você mesmo disse que é meu escravo e que sua vida está em meu poder?

— Não, não esqueci — respondeu o pássaro —, mas o que você pede é muito difícil. No entanto, farei o possível. Se você olhar em volta — continuou ele —, verá um jarro parado por perto. Conforme for descendo a montanha, espalhe um pouco da água do jarro sobre cada pedra negra e você logo encontrará seus dois irmãos.

A princesa Parizade pegou o jarro e, levando consigo além da gaiola o galho e o cantil, voltou descendo a encosta da montanha. A cada pedra negra, ela parava e as borrifava com água e, quando a água a tocava, a pedra instantaneamente se tornava um homem. Sua alegria foi misturada com espanto quando, de repente, ela viu seus irmãos diante dela.

— Ora, o que vocês estão fazendo aqui? — chorou a princesa.

— Estávamos dormindo — disseram eles.

— Sim — respondeu a princesa —, mas sem mim seu sono provavelmente teria durado até o dia do julgamento. Vocês se esqueceram de que vieram aqui em busca do pássaro falante, da árvore cantante e da água dourada, e então as pedras negras foram amontoadas ao longo da estrada? Olhe em volta e veja se sobrou uma. Estes senhores, vocês e todos os seus cavalos foram transformados nessas pedras, e eu os livrei borrifando-os com a água deste jarro. Como eu não poderia voltar para casa sem vocês, mesmo tendo ganhado os prêmios pelos quais me empenhei, forcei o pássaro falante a me dizer como quebrar o feitiço.

Ao ouvir essas palavras, o príncipe Bahman e o príncipe Perviz entenderam tudo o que deviam à irmã, e os cavaleiros que estavam ali se declararam seus escravos e prontos para realizar seus desejos. Mas a princesa, ao mesmo tempo que agradecia a polidez, explicou que não desejava companhia senão a dos irmãos e que os demais eram livres para ir aonde quisessem.

Assim dizendo, a princesa montou em seu cavalo e, recusando-se a permitir que até mesmo o príncipe Bahman carregasse a gaiola com o pássaro falante, ela confiou a ele o galho da árvore cantante, enquanto o príncipe Perviz cuidava do cantil contendo a água dourada.

Em seguida, eles partiram, seguidos pelos cavaleiros e cavalheiros, que imploraram para ter a permissão de escoltá-los.

Tinha sido intenção do grupo parar e contar suas aventuras ao dervixe, mas eles descobriram, para sua tristeza, que ele havia morrido, fosse de velhice ou por sentir que sua tarefa havia sido cumprida, eles nunca souberam.

À medida que continuavam em sua estrada, seu número diminuía a cada dia, pois os cavaleiros iam um a um para suas próprias casas, e apenas os irmãos e a irmã finalmente pararam no portão do palácio.

A princesa carregou a gaiola direto para o jardim e, assim que o pássaro começou a cantar, rouxinóis, cotovias, tordos, tentilhões e todos os tipos de pássaros misturaram suas vozes em coro. Ela plantou o galho em um canto perto da casa e, em poucos dias, ele cresceu e se tornou uma grande árvore. Quanto à água dourada, ela foi despejada em uma grande bacia de mármore especialmente preparada para ela e, após borbulhar, disparou para o ar em uma fonte de seis metros de altura.

A fama dessas maravilhas logo se espalhou, e as pessoas vinham de longe para vê-las e admirá-las.

Depois de alguns dias, o príncipe Bahman e o príncipe Perviz voltaram ao seu modo de vida normal e passaram a maior parte do tempo caçando. Um dia aconteceu que o sultão da Pérsia também caçava na mesma direção e, não querendo atrapalhar seu esporte, os jovens, ao ouvirem o barulho da caçada se aproximando, prepararam-se para se retirar, mas, por sorte, eles pegaram o mesmo caminho pelo qual o sultão estava vindo. Eles desceram dos cavalos e prostraram-se no chão, mas o sultão ficou curioso para ver seus rostos e ordenou que se levantassem.

Os príncipes levantaram-se respeitosamente, e o sultão olhou para eles por alguns instantes sem falar, depois perguntou quem eram e onde moravam.

– Senhor – respondeu o príncipe Bahman –, somos filhos do falecido intendente dos jardins de vossa alteza e vivemos em uma casa que ele construiu pouco tempo antes de sua morte, esperando até que uma ocasião se oferecesse para servir à vossa alteza.

– Vocês parecem gostar de caça – respondeu o sultão.

– Senhor – respondeu o príncipe Bahman –, é nosso exercício usual, um que não deve ser negligenciado por nenhum homem que espera cumprir os antigos costumes do reino.

O sultão ficou encantado com essa observação e disse imediatamente:

– Nesse caso, terei grande prazer em observá-los. Venham, escolham que tipo de animal vocês gostariam de caçar.

Os príncipes pularam em seus cavalos e seguiram o sultão a uma pequena distância. Eles não tinham ido muito longe quando viram vários animais selvagens aparecerem ao mesmo tempo, e o príncipe Bahman e o príncipe Perviz começaram a caça: o primeiro a um leão e, o segundo, a um urso. Ambos usaram seus dardos com tal habilidade que o leão e o urso caíram mortos em instantes. Então, o Príncipe Perviz perseguiu um leão e o Príncipe Bahman um urso, e em poucos minutos eles também caíram mortos

Enquanto se preparavam já para uma terceira presa, o sultão interferiu e, enviando um de seus oficiais para convocá-los, disse sorrindo:

– Se eu deixar vocês continuarem, em breve, não haverá mais feras para caçar. Além disso, sua coragem e as boas maneiras conquistaram tanto meu coração que não permitirei que se exponham a novos perigos. Estou convencido de que um dia ou outro os considerarei úteis ao palácio.

Então o sultão lhes convidou para ficarem com ele, mas, mesmo muito agradecidos pela honra recebida, eles imploraram que fossem dispensados e pudessem permanecer em casa.

O sultão, que não estava acostumado a ver suas ofertas rejeitadas, perguntou-lhes os motivos, e o príncipe Bahman explicou que eles não queriam deixar a irmã e estavam acostumados a não fazer nada sem os três estarem de acordo.

– Peça o conselho dela, então – respondeu o sultão –, e amanhã venham caçar comigo e me deem sua resposta.

Os dois príncipes voltaram para casa, mas sua aventura os impressionou tão pouco que se esqueceram de falar com a irmã sobre o assunto. Na manhã seguinte, quando foram caçar, encontraram o sultão no mesmo lugar, e ele perguntou que conselho sua irmã havia dado. Os jovens se entreolharam e coraram. Por fim, o príncipe Bahman disse:

– Senhor, devemos nos lançar à misericórdia de vossa alteza. Nem meu irmão nem eu nos lembramos de perguntar.

– Então, certifiquem-se de não se esquecer de hoje – respondeu o sultão – e tragam-me sua resposta amanhã.

Quando, porém, a mesma coisa aconteceu uma segunda vez, eles temeram que o sultão pudesse ficar com raiva deles por sua negligência. Mas o sultão, tirando três bolinhas de ouro de sua bolsa, estendeu-as ao príncipe Bahman, dizendo:

– Ponha-as no peito e não se esquecerá pela terceira vez. Quando tirar o cinto esta noite, o barulho que elas farão ao cair irá lembrá-los dos meus desejos.

Tudo aconteceu como o sultão previra. Os dois irmãos apareceram nos aposentos da irmã exatamente quando ela estava se deitando e contaram sua história.

A princesa ficou muito perturbada com a notícia e não escondeu seus sentimentos.

— Seu encontro com o sultão é muito honroso para vocês — disse ela — e, ouso dizer, será útil, mas me coloca em uma posição muito estranha. É por minha causa, eu sei, que vocês resistiram aos desejos do sultão, e sou muito grata por isso, mas os reis não gostam que suas ofertas sejam recusadas e, com o tempo, ele guardaria rancor de vocês, o que me deixaria muito infeliz. Consulte o pássaro falante, que é sábio e previdente, e deixe-me ouvir o que ele diz.

Então o pássaro foi chamado e colocado diante deles.

— Os príncipes não devem, de forma alguma, recusar a proposta do sultão — disse ele — e devem até mesmo convidá-lo para vir ver sua casa.

— Mas, pássaro — retrucou a princesa —, você sabe o quanto nos amamos; tudo isso não vai estragar nossa amizade?

— De jeito nenhum — respondeu o pássaro. — Isso vai aproximá-los.

— Então o sultão terá que me ver — concluiu a princesa.

O pássaro respondeu que era preciso que ele a visse e que tudo daria certo.

Na manhã seguinte, quando o sultão perguntou se eles haviam falado com sua irmã e que conselho ela havia dado, o príncipe Bahman respondeu que eles estavam prontos para concordar com os desejos de sua alteza e que sua irmã os censurou por sua hesitação sobre o assunto. O sultão recebeu as desculpas com grande gentileza e disse-lhes que tinha certeza de que seriam igualmente fiéis a ele, e os manteve ao seu lado pelo resto do dia, para aborrecimento do grão-vizir e do resto do palácio.

A comitiva passou pelas ruas das cidades, e os olhos das pessoas que lotavam as ruas estavam fixos nos dois jovens, estranhos a todos.

– Oh, se ao menos o sultão tivesse filhos assim! – murmuraram. – Eles parecem tão distintos e têm quase a mesma idade que seus filhos teriam!

O sultão ordenou que se preparassem aposentos esplêndidos para os dois irmãos e até insistiu que se sentassem à mesa com ele. Durante o jantar, ele conduziu a conversa a vários assuntos científicos e também à história, dos quais gostava especialmente, mas, qualquer que fosse o assunto discutido, ele descobriu que sempre valia a pena ouvir as opiniões dos jovens.

– Se eles fossem meus próprios filhos – disse a si mesmo –, não poderiam ter uma educação melhor!

Em voz alta, ele os elogiou por seu aprendizado e gosto pelo conhecimento.

No final da noite, os príncipes mais uma vez se prostraram diante do trono e pediram licença para voltar para casa. Então, encorajado pelas amáveis palavras de despedida proferidas pelo sultão, o príncipe Bahman disse:

– Senhor, podemos nos atrever a tomar a liberdade de perguntar se o senhor daria a nós e à nossa irmã a honra de descansar alguns minutos em nossa casa a primeira vez que for caçar por ali?

– Com o maior prazer – respondeu o sultão. – E como estou impaciente para ver a irmã de jovens tão talentosos, vocês podem me esperar depois de amanhã.

É claro que a princesa estava muito ansiosa para entreter o sultão da maneira adequada, mas, como não tinha experiência nos costumes da corte, correu até o pássaro falante e implorou que ele a aconselhasse sobre os pratos que deveriam ser servidos.

— Minha querida senhora — respondeu o pássaro —, seus cozinheiros são muito bons, e você pode deixar tudo com eles, exceto que você deve ter o cuidado de ter um prato de pepinos recheado com molho de pérola, servido com o prato principal.

— Pepinos recheados com pérolas! — exclamou a princesa. — Por que, pássaro, quem já ouviu falar de tal prato? O sultão vai esperar um jantar que ele possa comer e nenhum que ele possa apenas admirar! Além disso, mesmo que eu usasse todas as pérolas que possuo, elas não seriam suficientes.

— Senhora — respondeu o pássaro —, faça o que eu digo a você. E quanto às pérolas, se você for amanhã ao amanhecer e cavar ao pé da primeira árvore do parque, do lado direito, você encontrará quantas quiser.

A princesa tinha fé no pássaro, que costumava estar certo, e, levando o jardineiro com ela na manhã seguinte, seguiu suas instruções cuidadosamente. Depois de cavar por algum tempo, eles encontraram uma caixa dourada presa com pequenos fechos.

Estes foram facilmente desfeitos e descobriu-se que a caixa estava cheia de pérolas, não muito grandes, mas bem formadas e de boa cor. Deixando o jardineiro tampar o buraco que ele fizera sob a árvore, a princesa pegou a caixa e voltou para a casa.

Os dois príncipes a viram sair e se perguntaram o que poderia tê-la feito acordar tão cedo. Cheios de curiosidade, eles se levantaram e se vestiram e encontraram a irmã quando ela voltava com a caixa debaixo do braço.

– O que você estava fazendo? – perguntaram. – E o jardineiro lhe disse que encontrou um tesouro?

– Pelo contrário – respondeu a princesa –, fui eu que encontrei.

Abrindo a caixa, ela mostrou aos irmãos espantados as pérolas dentro dela. Então, no caminho de volta para o palácio, ela lhes contou sobre sua consulta com o pássaro e o conselho que ele lhe dera. Todos os três tentaram adivinhar o significado do conselho singular, mas foram finalmente forçados a admitir que a explicação estava além deles e que deveriam se contentar em obedecer cegamente.

A primeira coisa que a princesa fez ao entrar no palácio foi mandar chamar o cozinheiro chefe e pedir a ele que providenciasse um banquete para o sultão. Quando ela terminou, acrescentou de repente:

– Além dos pratos que mencionei, há um que você deve preparar especialmente para o sultão e que ninguém deve tocar a não ser você. Consiste em um pepino recheado, e o recheio deve ser feito com essas pérolas.

O cozinheiro chefe, que em toda a sua experiência nunca tinha ouvido falar de tal prato, recuou surpreso.

— Você deve estar me achando louca — respondeu a princesa, que percebeu como o cozinheiro estava confuso —, mas eu sei muito bem o que estou fazendo. Vá, faça o seu melhor e leve as pérolas com você.

Na manhã seguinte, os príncipes partiram para a floresta e logo se juntaram ao sultão. A caça começou e continuou até o meio-dia, quando o calor aumentou tanto que eles foram obrigados a parar. Então, conforme combinado, eles cavalgaram em direção ao palácio e, enquanto o príncipe Bahman permanecia ao lado do sultão, o príncipe Perviz cavalgou para avisar sua irmã de que estavam chegando.

No momento em que sua alteza entrou no pátio, a princesa se jogou a seus pés, mas ele se curvou, ergueu-a e a olhou por algum tempo, impressionado com sua graça e beleza.

"Eles são todos dignos um do outro" — disse a si mesmo — "e não me surpreende que eles pensem tanto nas opiniões dela. Devo saber mais sobre eles."

A essa altura, a princesa havia se recuperado do primeiro constrangimento do encontro e começou a fazer seu discurso de boas-vindas.

— Esta é apenas uma simples casa de campo, senhor — disse ela —, adequada para pessoas como nós, que vivem uma vida tranquila. Não pode ser comparada com as grandes mansões da cidade, muito menos, é claro, com o menor dos palácios do sultão.

— Não posso concordar com você — respondeu ele. — Mesmo o pouco que vi até agora admiro muito e reservarei meu julgamento até que você me mostre tudo.

A princesa então liderou o caminho de sala em sala, e o sultão examinou tudo cuidadosamente.

– Você chama isso de uma simples casa de campo? – disse ele finalmente. – Ora, se todas as casas de campo fossem assim, as cidades logo estariam desertas. Não me surpreende mais que você não queira deixá-la. Vamos para os jardins, os quais tenho certeza de não são menos bonitos do que os quartos.

Uma pequena porta se abriu direto para o jardim, e o primeiro objeto que encontrou os olhos do sultão foi a água dourada.

– Que linda água colorida! – exclamou. – Onde está a fonte e como você faz a fonte subir tão alto? Não acredito que haja algo assim no mundo.

Ele avançou para examiná-la e, quando satisfez sua curiosidade, a princesa o conduziu até a árvore cantante.

Ao se aproximarem, o sultão se assustou com o som de vozes estranhas, mas não conseguiu ver nada.

– Onde você escondeu seus músicos? – perguntou à princesa. – Eles estão no ar ou embaixo da terra? Certamente os donos dessas vozes encantadoras não deveriam se esconder!

– Senhor – respondeu a princesa –, todas as vozes vêm da árvore que está bem diante de nós e, se o senhor se dignar a avançar alguns passos, verá que elas ficarão mais claras.

O sultão fez o que lhe foi dito e ficou tão encantado com o que ouviu que ficou algum tempo em silêncio.

– Diga-me, senhora, peço-lhe – disse por fim –, como esta árvore maravilhosa entrou no seu jardim? Deve ter sido trazida de uma grande distância, senão, como poderia nunca ter ouvido falar dela? Como se chama?

— O único nome que ela tem, senhor — respondeu ela —, é árvore cantante, a qual não é nativa deste país. Sua história se mistura com as da água dourada e do pássaro falante, que o senhor ainda não conhece. Se vossa alteza desejar, vou lhe contar toda a história, quando tiver se recuperado de seu cansaço.

— Na verdade, senhora — respondeu ele —, você me mostra tantas maravilhas que é impossível sentir qualquer fadiga. Vamos mais uma vez olhar para a água dourada, e estou morrendo de vontade de ver o pássaro falante.

O sultão mal conseguia se afastar da água dourada, o que o confundia cada vez mais.

— Você diz — observou ele para a princesa — que essa água não vem de nascente alguma, nem é trazida por canos. Tudo o que entendo é que nem ela nem a árvore cantante são nativas deste país.

— Exato — respondeu a princesa — e, se o senhor examinar a bacia, verá que é uma peça só e, portanto, a água não poderia ter sido trazida por ela. O que é mais surpreendente é que apenas derramei um pequeno frasco cheio na bacia, e a quantidade de água aumentou para a que está vendo agora.

— Bem, não vou mais olhar para ela hoje — disse o sultão. — Leve-me ao pássaro falante.

Ao se aproximar da casa, o sultão notou uma grande quantidade de pássaros, cujas vozes enchiam o ar, e perguntou por que eram tão mais numerosos aqui do que em qualquer outra parte do jardim.

– Senhor – respondeu a princesa –, você vê aquela gaiola pendurada em uma das janelas do salão? Esse é o pássaro falante, cuja voz você pode ouvir acima de todos eles, até mesmo acima da do rouxinol. Os pássaros se reúnem aqui para unir seus cantos aos dele.

O sultão entrou pela janela, mas o pássaro não percebeu, continuando sua canção como antes.

– Pássaro – disse a princesa –, este é o sultão; faça-lhe um belo discurso.

O pássaro parou de cantar imediatamente, e todos os outros pássaros pararam também.

– O sultão é bem-vindo – disse ele. – Desejo a ele vida longa e muita prosperidade.

– Agradeço-te, bom pássaro – respondeu o sultão, sentando-se na frente do banquete, que foi servido em uma mesa perto da janela –, e estou encantado por ver em ti o sultão e rei dos pássaros.

O sultão, notando que seu prato favorito de pepino fora colocado diante dele, começou a se servir e ficou surpreso ao ver que o recheio era de pérolas.

– Uma novidade, de fato! – gritou ele. – Mas eu não entendo a razão disso, já que não se pode comer pérolas!

– Senhor – respondeu o pássaro, antes que os príncipes ou a princesa pudessem falar –, certamente vossa alteza não está mais surpreso em ver um pepino recheado com pérolas do que quando acreditou, sem qualquer dificuldade, que a sultana tinha dado à luz, em vez de crianças, a um cachorro, um gato e uma tora de madeira.

— Eu acreditei — respondeu o sultão —, porque as mulheres que cuidavam dela me disseram isso.

— As mulheres, senhor — disse o pássaro —, eram as irmãs da sultana, que foram devoradas pelo ciúme por causa da honra com a qual o senhor a tratou e, para se vingarem, inventaram essa história. Mande interrogá-las e elas confessarão seu crime. Estes são seus filhos, que foram salvos da morte pelo intendente de seus jardins e criados por ele como se fossem seus.

Como um relâmpago, a verdade veio à mente do sultão.

— Pássaro — gritou ele —, meu coração me diz que o que você fala é verdade. Meus filhos — acrescentou ele —, deixem-me abraçar vocês e se abracem, não apenas como irmãos e irmã, mas como tendo em vocês o sangue real da Pérsia, que não podia fluir em veias mais nobres.

Passados os primeiros momentos de emoção, o sultão apressou-se em terminar o banquete e, voltando-se para os filhos, exclamou:

— Hoje vocês conheceram o seu pai. Amanhã vou trazer-lhes a sultana, sua mãe. Estejam prontos para recebê-la.

O sultão então montou em seu cavalo e cavalgou rapidamente de volta à capital. Sem demora, mandou chamar o grão-vizir e ordenou-lhe que prendesse e interrogasse as irmãs da sultana naquele mesmo dia. Isso foi feito. Elas foram confrontadas e se provaram culpadas, sendo executadas em menos de uma hora.

Mas o sultão não esperou para ouvir que suas ordens haviam sido cumpridas antes de ir a pé, seguido por toda a corte até a porta da grande mesquita, e tirar a sultana, com suas próprias mãos, da prisão estreita onde ela havia passado tantos anos.

— Senhora — disse ele, abraçando-a com lágrimas nos olhos —, vim pedir-lhe perdão pela injustiça que lhe fiz e para repará-la tanto quanto posso. Já comecei punindo as autoras deste crime abominável e espero que me perdoe quando lhe apresentar aos nossos filhos, que são as criaturas mais encantadoras e talentosas do mundo inteiro. Venha comigo, retome o seu cargo e toda a honra que é sua.

Este discurso foi proferido na presença de uma vasta multidão de pessoas, que se reuniram de todas as partes ao primeiro indício do que estava acontecendo, e a notícia foi passada de boca em boca em poucos segundos.

Cedo no dia seguinte o sultão e a sultana, vestidos com túnicas reais e seguidos por toda a corte, partiram para a casa de campo de seus filhos. Lá, o sultão os apresentou à sultana um por um e, por algum tempo, não houve nada além de abraços, lágrimas e palavras ternas. Em seguida, comeram o magnífico jantar que havia sido preparado para eles e, depois de se refrescarem, foram para o jardim, onde o sultão mostrou à esposa a água dourada e a árvore cantante. Quanto ao pássaro falante, ela já o havia conhecido.

À noite, eles cavalgaram juntos de volta à capital, os príncipes de cada lado de seu pai, e a princesa com sua mãe. Muito antes de chegarem aos portões, o caminho estava cheio de pessoas, e o ar se enchia de gritos de boas-vindas, aos quais se misturavam as canções do pássaro falante, sentado em sua gaiola no colo da princesa, e dos pássaros que os seguiam.

E assim voltaram ao palácio de seu pai.

A tumba de Noosheerwân

(Charles John Tibbitts, 1889)

O califa Hâroon-oor-Rasheed foi visitar o túmulo do célebre Noosheerwân, o mais famoso de todos os monarcas que já governaram a Pérsia. Diante da tumba, havia uma cortina de tecido dourado que se despedaçou ao toque de Hâroon. As paredes da tumba estavam cobertas de ouro e joias, cujo esplendor iluminava sua escuridão. O corpo fora colocado em uma postura sentada em um trono enfeitado com joias e ele parecia tanto estar de fato vivo que, ao primeiro impulso, o Comandante dos Fiéis se curvou e saudou os restos mortais do justo Noosheerwân.

Embora o rosto do monarca que partiu fosse como o de um homem vivo e todo o corpo estivesse bem preservado (o que mostrava a admirável habilidade daqueles que o embalsamaram), quando o califa tocou as vestes, elas se transformaram em pó. Hâroon então tirou suas próprias vestes ricas e jogou-as sobre o cadáver. Ele também pendurou uma nova cortina, mais rica do que aquela que havia destruído, e perfumou todo o túmulo com cânfora e outros aromas doces.

Nada mudou no corpo de Noosheerwân, exceto que as orelhas ficaram brancas. Toda a cena afetou muito o califa. Ele desatou a chorar e repetiu o verso do Alcorão: "O que vi é um aviso para quem tem olhos". Ele observou alguns escritos sobre o trono e ordenou aos sacerdotes, que eram instruídos na língua Pehlevee, que lessem e explicassem o que estava escrito. Eis o que eles traduziram:

"Este mundo não permanece. O homem que menos pensa nisso é o mais sábio.

"Aproveite este mundo antes que se torne sua presa.

"Concede aos que estão abaixo de ti o mesmo favor que desejas receber dos que estão acima de ti.

"Se tu conquistares o mundo inteiro, a morte finalmente te conquistará.

"Tenha cuidado para não ser o ladrão de sua própria fortuna.

"Serás pago exatamente pelo que fizeste. Nem mais nem menos."

O califa observou um anel de rubi escuro no dedo de Noosheerwân, no qual estava escrito:

"Evite a crueldade, estude bem e nunca se precipite na ação.

"Se viveres cem anos, nunca se esqueça da morte.

"Valorize acima de tudo a sociedade dos sábios."

Ao redor do braço direito de Noosheerwân, havia um fecho de ouro, no qual estava gravado:

"Em um certo ano, no dia 10 do mês *Erdebehisht*, um califa da raça de Adean, professando a fé de Mahomed, acompanhado por quatro homens bons e um mau, visitará meu túmulo."

Abaixo desta frase estavam os nomes dos antepassados do califa. Outra profecia fora adicionada sobre a peregrinação de Hâroon à tumba de Noosheerwân.

"Este príncipe me honrará e me fará bem, embora eu não tenha nenhum direito sobre ele. Ele me vestirá com roupas novas, perfumará minha tumba com essências perfumadas e então partirá para sua casa. Mas o homem mau que o acompanha deve agir traiçoeiramente para comigo. Oro para que Deus envie alguém de minha raça para retribuir os grandes favores do califa e se vingar de seu indigno companheiro. Há, sob meu trono, uma inscrição que o califa deve ler e contemplar. Seu conteúdo o fará lembrar de mim e o fará perdoar minha incapacidade de lhe dar mais."

O califa, ao ouvir isso, colocou a mão sob o trono e encontrou a inscrição, que consistia em algumas linhas gravadas em um rubi do tamanho da palma da mão. Os sacerdotes também leram aquilo: continha informações sobre onde seria encontrado um tesouro de ouro e armas, com alguns baús de ricas joias. Embaixo disso, estava escrito:

"Isso eu dou ao califa em troca do bem que ele me fez. Deixe-o pegá-los e ser feliz."

Quando Hâroon-oor-Rasheed estava prestes a deixar o túmulo, Hoosein-ben-Sâhil, seu vizir, disse a ele:

– Ó, Senhor dos Fiéis, qual é o uso de todas essas joias preciosas que ornamentam a morada dos mortos se não trazem nenhum benefício para os vivos? Permita-me levar algumas delas.

O califa respondeu com indignação:

– Tal desejo é mais digno de um ladrão do que de um grande sábio.

Hoosein ficou envergonhado de seu discurso e disse ao servo que estava na entrada da tumba:

– Vai tu e adora o santuário sagrado lá dentro.

O homem entrou na tumba. Ele tinha mais de cem anos, mas nunca vira tamanho brilho de riqueza. O homem se sentiu inclinado a saquear parte dela, mas a princípio teve medo; por fim, reunindo toda a sua coragem, ele tirou um anel do dedo de Noosheerwân e foi embora.

Hâroon viu este homem sair e, observando-o alarmado, adivinhou imediatamente o que estivera fazendo. Dirigindo-se àqueles ao seu redor, ele disse:

– Vocês não veem agora a extensão do conhecimento de Noosheerwân? Ele profetizou que deveria haver um homem indigno comigo. É esse sujeito. O que você pegou? – disse ele, em um tom irritado.

– Nada – disse o homem.

– Revistem-no – disse o califa.

Assim foi feito, e o anel de Noosheerwân foi encontrado. O califa imediatamente o pegou e, entrando na tumba, recolocou-o no dedo frio do falecido monarca. Quando ele voltou, escutou um som terrível como o de um trovão.

Hâroon desceu da montanha onde ficava a tumba e ordenou que a estrada fosse inacessível para futuros curiosos. Ele procurou e encontrou, no local descrito, o ouro, as armas e as joias legadas a ele por Noosheerwân e os enviou a Bagdá.

Entre os ricos objetos encontrados, estava uma coroa de ouro, que tinha cinco lados e era ricamente ornamentada com pedras preciosas. Em todos os lados, estavam escritas várias lições admiráveis. As mais notáveis foram as seguintes:

Primeiro lado:

"Dê meus cumprimentos àqueles que se conhecem.

"Considere o fim antes de começar e, antes de avançar, providencie um retiro.

"Não dê dor desnecessária a nenhum homem, mas estude a felicidade de todos.

"Não baseie sua dignidade em seu poder de ferir outros."

Segundo lado:

"Peça conselho antes de iniciar qualquer medida e nunca confie sua execução a inexperientes.

"Sacrifique sua propriedade por sua vida e sua vida por sua religião.

"Gaste seu tempo estabelecendo um bom nome e, se você deseja fortuna, aprenda o contentamento."

Terceiro lado:

"Não sofra por aquilo que está quebrado, roubado, queimado ou perdido.

"Nunca dê ordens na casa de outro homem; e acostume-se a comer seu pão em sua própria mesa."

Quarto lado:

"Não tome esposa de uma má família e não se sente com aqueles que não têm vergonha.

"Mantenha-se a distância daqueles que são incorrigíveis em maus hábitos e não mantenha contato com aquele homem que é insensível à bondade.

"Não cobice os bens dos outros.

"Seja cauteloso com os monarcas, pois são como fogo que arde, mas destrói.

"Seja sensível ao seu próprio valor; estime com justiça o valor dos outros; e não guerreie com aqueles que estão muito acima de ti em fortuna."

Quinto lado:

"Temam reis, mulheres e poetas.

"Não tenhas inveja de ninguém e não te habitues a procurar os erros dos outros.

"Crie o hábito de ser feliz e evite ficar irritado ou sua vida passará na miséria.

"Respeite e proteja as mulheres de sua família.

"Não seja escravo da ira e em tuas disputas sempre deixe aberta a porta da conciliação.

"Nunca deixe suas despesas excederem sua receita.

"Plante uma árvore nova ou você não pode esperar cortar uma velha.

"Não alongue as pernas além do tamanho do tapete."

O califa Hâroon-oor-Rasheed ficou mais satisfeito com as admiráveis máximas inscritas naquela coroa do que com todos os tesouros que encontrou.

– Escreva estes preceitos – exclamou o califa – em um livro para que os fiéis comam do fruto da sabedoria.

Quando voltou a Bagdá, contou a seu vizir favorito, Jaffier Bermekee, e a seus outros oficiais chefes tudo o que havia acontecido. A alma de Noosheerwân recebeu justiça, porque Hoosein-ben-Sâhil (que intencionou despojar sua tumba) e o servo que cometeu o ato sacrílego de tirar o anel do dedo do monarca que partiu foram punidos.

O filho do rei

(de *As mil e uma noites*. Antoine Galland, 1704)

Nesta história, contaremos como o filho do rei, que sempre fora tão inteligente, educado e de bons modos, acabou se tornando um eremita.

Eu era apenas uma criança quando o rei, meu pai, percebeu que eu era dotado de muito bom senso. Ele empregou todos os homens em seus domínios que se destacavam em ciência e arte para estar constantemente perto de mim. Assim que comecei a ler e escrever, aprendi de cor o Alcorão do começo ao fim, aquele livro admirável que contém o fundamento, os preceitos e as regras de nossa religião. Para que minha instrução nele fosse completa, li as obras de vários autores renomados, que comentaram cada linha do livro. Acrescentei a esse estudo todas as tradições coletadas da boca de nosso Profeta pelos grandes homens que foram contemporâneos dele. Não fiquei satisfeito com o conhecimento de tudo o que tivesse alguma relação com a nossa religião, mas fiz também uma pesquisa particular nas nossas histórias. Tornei-me perfeito no ensino, nas obras de poetas e na versificação. Eu me dediquei à geografia, cronologia e a falar nossa língua árabe em sua pureza. Mas uma coisa de que eu gostava e consegui em grau especial foi formar os caracteres de nossa linguagem escrita, em que superei todos os mestres da escrita de nosso reino que haviam adquirido a maior reputação.

A fama me honrou mais do que eu merecia, pois ela não apenas espalhou o renome de meus talentos por todos os domínios do rei, meu pai, mas levou-o até a corte indiana, cujo potente monarca, desejoso de me ver, enviou um embaixador com ricos presentes a meu pai pedindo minha presença. O rei, meu pai, ficou extremamente contente por vários motivos: ele estava convencido de que nada poderia ser mais recomendável para um príncipe da minha idade do que viajar e visitar cortes estrangeiras e ficou muito feliz em ganhar a amizade do sultão indiano. Parti com o embaixador, mas sem grande comitiva, devido à extensão e à dificuldade da viagem.

Quando tínhamos viajado cerca de um mês, descobrimos uma grande nuvem de poeira a distância, sob a qual logo vimos cinquenta cavaleiros, bem armados, que eram ladrões, vindo em nossa direção a galope.

Como tínhamos dez cavalos carregados com bagagens e presentes que eu deveria levar ao sultão indiano e minha comitiva era pequena, esses ladrões vieram corajosamente até nós. Não estando em posição de fazer qualquer resistência, dissemos que éramos embaixadores do sultão das Índias e esperávamos que nada fizessem contrário ao respeito que lhe é devido, pensando assim salvar o nosso equipamento e nossas vidas.

Mas os ladrões responderam com muita insolência:

– Por que motivo você quer que mostremos qualquer respeito ao sultão, seu mestre? Não somos nenhum de seus súditos, nem estamos em seus territórios.

Tendo falado assim, eles nos cercaram e caíram sobre nós. Defendi-me o máximo que pude, mas, ao ver-me ferido e ao ver o embaixador com os seus servos e os meus caídos no chão, aproveitei as forças que ainda restavam no meu cavalo, que também estava muito ferido, separei-me da multidão e parti o mais rápido possível. Mas, de repente, o cavalo cedeu sob mim, devido ao cansaço e à perda de sangue, e caiu morto.

Estava sozinho, ferido, destituído de ajuda e em um país estranho: não me atrevi a me dirigir para a estrada principal, a fim de não cair novamente nas mãos daqueles ladrões. Andei o resto do dia e cheguei ao pé de uma montanha, onde percebi uma passagem para uma caverna: entrei e fiquei lá aquela noite com pouca satisfação, depois de ter comido algumas frutas que colhi no caminho.

Continuei minha jornada por vários dias sem encontrar nenhum lugar para morar, mas, depois de um mês, cheguei a uma cidade grande, bem habitada e situada tão vantajosamente, por ser cercada por vários rios, que gozava de uma primavera perpétua.

Os objetos agradáveis que então se apresentaram aos meus olhos proporcionaram-me alegria e suspenderam por um tempo a tristeza com a qual fui dominado por me encontrar em tal condição. Meu rosto, minhas mãos e meus pés estavam pretos e queimados de sol e, devido à minha longa viagem, meus sapatos e meias estavam bastante gastos, de modo que fui forçado a andar descalço. Além disso, minhas roupas estavam todas em farrapos. Entrei na cidade para saber onde estava e dirigi-me a um alfaiate que trabalhava em sua loja, que, percebendo pelo meu ar que eu era uma pessoa de mais reputação do que minha aparência exterior indicava, ele me fez sentar ao lado dele e me perguntou quem eu era, de onde vinha e o que me levara até lá. Não escondi nada do que me aconteceu.

O alfaiate ouviu com atenção minhas palavras, mas, depois que terminei de falar, em vez de me dar qualquer consolo, ele aumentou minha tristeza.

— Preste atenção — disse ele —, não conte essa história a qualquer pessoa, pois o príncipe deste país é o maior inimigo do rei seu pai e ele certamente fará mal a você quando souber que você esteve nesta cidade.

Não duvidei da sinceridade do alfaiate. Ele acreditava que eu devia estar com fome, então mandou trazer algo para eu comer e me ofereceu ao mesmo tempo um alojamento em sua casa, que aceitei. Alguns dias depois, encontrando-me bastante recuperado do cansaço que havia suportado por uma longa e tediosa jornada e refletindo que a maioria dos príncipes de nossa religião se dedicava a alguma arte ou vocação que pudesse ser útil para eles ocasionalmente, ele me perguntou se eu havia aprendido alguma coisa com a qual pudesse ganhar a vida. Eu disse a ele que entendia das leis, tanto divinas quanto humanas, que eu era um gramático e poeta e, acima de tudo, que entendia perfeitamente sobre a escrita.

– Com tudo isso – disse ele –, você não poderá, neste país, comprar um bocado de pão. Nada é menos útil aqui do que essas ciências: mas se você quiser um conselho, vista-se com vestes de trabalhador e, visto que você parece ser forte e de boa constituição, deve ir para a próxima floresta e cortar lenha, que pode levar ao mercado para ser vendida. Posso assegurar-lhe que isso resultará em tão boa quantia que você poderá viver com isso, sem depender de ninguém. Assim, você estará em condições de aguardar o momento favorável em que o Céu julgar conveniente dissipar essas nuvens de infortúnios que impedem sua felicidade e o obrigam a ocultar seu nascimento. Cuidarei de lhe fornecer uma corda e uma machadinha.

O medo de ser conhecido e a necessidade que sentia de ganhar o meu sustento fizeram-me aceitar essa proposta, apesar de todas as adversidades que a envolviam. No dia seguinte, o alfaiate comprou-me uma corda, uma machadinha e um casaco curto e recomendou-me a alguns pobres que ganhavam o pão da mesma maneira para que me levassem em sua companhia. Eles me conduziram até a floresta e, no primeiro dia, ganhei meia moeda de ouro, que é o dinheiro daquele país. Ganhei uma boa quantia em pouco tempo e paguei ao meu alfaiate aquilo que ele havia adiantado para mim.

Continuei assim por um ano inteiro e, um dia, quando por acaso eu havia entrado mais no bosque do que de costume, encontrei um lugar muito agradável, onde comecei a cortar lenha. Ao arrancar a raiz de uma árvore, vi um anel de ferro, preso a um alçapão do mesmo metal. Tirei a terra que o cobria e, levantando-o, vi uma escada, pela qual desci, com o machado na mão.

Quando cheguei ao pé da escada, encontrei-me em um grande palácio, o que me deixou muito consternado, por causa de uma grande luz que parecia tão clara nele como se estivesse acima do solo ao ar livre. Avancei ao longo de uma galeria sustentada por pilares de jaspe com capitéis de ouro maciço, mas, vendo uma senhora de ar nobre, livre e extremamente bela vindo em minha direção, meus olhos não conseguiam contemplar mais nada.

Desejoso de poupar a senhora do trabalho de vir até mim, apressei-me em encontrá-la e, enquanto eu a saudava com uma reverência, ela me perguntou:

– O que você é, um homem ou um gênio?

– Um homem, senhora – disse eu –, não tenho correspondência com gênios.

– Por qual aventura – disse ela, suspirando profundamente – você vem aqui? Moro aqui há vinte e cinco anos e nunca vi outro homem além de você durante esse tempo.

Sua grande beleza, a doçura e a civilidade com que ela me recebeu encorajaram-me a dizer:

– Senhora, antes que eu tenha a honra de satisfazer sua curiosidade, permita-me dizer-lhe que estou infinitamente satisfeito com este encontro inesperado, que me oferece uma ocasião de consolo em meio à minha aflição, e talvez isso me dê a oportunidade de deixá-la mais feliz.

Fiz-lhe um relato verdadeiro sobre o estranho momento em que ela me via, o filho de um rei, nas condições que eu então apresentei a seus olhos e como a Fortuna me orientou para que eu descobrisse a entrada naquela magnífica prisão, onde, segundo as aparências, encontrei-a em uma situação desagradável.

– Ai de mim! Príncipe – disse ela, suspirando mais uma vez –, você tem um motivo justo para acreditar que essa prisão rica e pomposa não pode ser diferente de uma morada muito cansativa. O lugar mais charmoso do mundo não é nada encantador quando estamos detidos ali, contrariando nossa vontade. Você já ouviu falar do grande Epitimarus, rei da Ilha de Ébano, assim chamado devido àquela madeira preciosa que ela produz em abundância? Eu sou a princesa, sua filha. O rei, meu pai, escolheu para mim um marido, um príncipe que era meu primo, mas, em meio à alegria na corte, antes que eu fosse entregue a meu marido, um gênio me levou embora. Desmaiei no mesmo momento e perdi os sentidos e, quando voltei a mim mesma, encontrei-me neste lugar. Por muito tempo, fiquei inconsolável, mas o tempo e a necessidade me acostumaram ao gênio. Por vinte e cinco anos, como disse antes, continuei neste lugar, onde, devo confessar, tenho tudo o que posso desejar que seja necessário à vida e também tudo o que possa satisfazer uma princesa que gosta de roupas e modas. A cada dez dias – continuou a princesa –, o gênio vem aqui para me ver. Enquanto isso, se eu precisar vê-lo, de dia ou de noite, assim que toco um talismã que está na entrada de meu quarto, o gênio aparece. Já é o quarto dia desde que ele esteve aqui, e não o espero antes do final de mais seis. Então, por favor, se você puder ficar cinco dias e me fazer companhia, eu me esforçarei para entretê-lo de acordo com sua posição e mérito.

Achei-me muito afortunado por ter obtido um favor tão grande sem lhe pedir para recusar uma oferta tão amável. A princesa fez-me entrar no banho, que era o mais suntuoso que se podia imaginar e, quando saí, em vez de minhas próprias roupas, encontrei outro traje muito caro, que não apreciei tanto por sua riqueza, mas porque me fazia parecer digno de estar em sua companhia. Sentamo-nos em um sofá coberto com uma rica tapeçaria, com almofadas para nos apoiarmos no mais raro brocado indiano e, logo depois, ela cobriu uma mesa com vários pratos de carnes delicadas. Comemos juntos e passamos o resto do dia com muita satisfação.

No dia seguinte, pensando em todos os meios para me agradar, trouxe, ao jantar, uma garrafa de vinho velho, o mais excelente que já provara, e por complacência ela bebeu um pouco comigo.

– Bela princesa – disse –, você está há muito tempo enterrada viva: siga-me e aproveite o dia real, do qual você foi privada por tantos anos, e abandone esta luz falsa que você tem aqui.

— Príncipe — respondeu ela, com um sorriso —, pare com esse discurso. Se de dez dias você me conceder nove e entregar o último ao gênio, o dia mais belo que já existiu não seria nada em minha estima.

— Princesa, é o medo do gênio que a faz falar assim. De minha parte, dou tão pouco valor a ele que vou quebrar seu talismã em pedaços. Deixe-o vir, eu o espero. Por mais valente ou temível que seja, farei com que sinta o peso do meu braço: juro, solenemente, que extirparei todos os gênios do mundo, e ele primeiro.

A princesa, que conhecia as consequências, conjurou-me para não tocar no talismã, pois isso arruinaria nós dois.

— Eu conheço os gênios melhor que você — disse ela.

Os vapores do vinho não me permitiram dar ouvidos às suas razões e dei um chute no talismã com meu pé, quebrando-o em vários pedaços.

Mal o talismã fora quebrado, o palácio começou a tremer, e estava prestes a cair com um barulho horrível como um trovão, acompanhado de relâmpagos e uma grande escuridão. Esse barulho terrível dissipou em um momento a fumaça do meu vinho e me fez sentir, porém tarde demais, a loucura que havia cometido.

— Princesa — gritei —, o que significa tudo isso?

Ela respondeu assustada e sem nenhuma preocupação com sua própria desgraça:

— Ai de mim! Você morrerá se não escapar imediatamente.

Segui seu conselho, e meus medos eram tão grandes que esqueci minha machadinha e cordas. Mal tinha chegado à escada pela qual desci, quando o palácio encantado se abriu e fez uma passagem para o gênio. Ele perguntou à princesa, com muita raiva:

– O que aconteceu com você e por que você me chamou?

– Um escrúpulo – disse a princesa – me fez buscar esta garrafa que você vê aqui, da qual bebi duas ou três vezes, e por azar dei um passo em falso e caí sobre o talismã, que se quebrou.

Com essa resposta, o gênio furioso disse-lhe:

– Você é uma mulher falsa e mentirosa: como aquele machado e aquelas cordas vieram parar ali?

– Eu nunca os vi até este momento – disse a princesa. – Sua vinda de maneira tão impetuosa, pode ser, forçou-os em algum lugar enquanto você vinha, e assim os trouxe para cá sem que percebesse.

O gênio não deu outra resposta a não ser reprovações e golpes, dos quais ouvi barulho. Não pude suportar ouvir os lamentáveis gritos da princesa. Corri escada acima, distraído pela tristeza e pela compaixão, pois eu mesmo fui a causa de tão grande infortúnio. Ao sacrificar a princesa mais bela do mundo à barbárie de um gênio impiedoso, tornei-me o mais criminoso e ingrato da humanidade.

– É verdade – disse para mim mesmo –, ela está prisioneira há vinte e cinco anos, mas, com exceção da liberdade, ela não queria nada que a pudesse fazer feliz. Minha loucura acabou com sua felicidade e trouxe sobre ela a crueldade de um monstro impiedoso.

Baixei o alçapão, tornei a cobri-lo com terra e voltei para a cidade com um fardo de lenha, que amarrei sem saber o que fazia, tão grandes eram os meus problemas e tristezas.

Meu senhorio, o alfaiate, ficou muito feliz em me ver.

– Sua ausência – disse ele – me inquietou muito, porque você me confiou o segredo de seu nascimento, e eu não sabia o que pensar. Tive medo de que alguém o tivesse descoberto; Deus seja louvado pelo seu retorno.

Agradeci-lhe o seu zelo e carinho, mas não me atrevi a dizer uma palavra do que se passou, nem a razão pela qual voltei sem a minha machadinha e as cordas.

Retirei-me para o meu quarto, no qual me censurei mil vezes por minha excessiva imprudência. Nada poderia ser comparado à boa sorte da princesa e à minha se eu tivesse desistido de quebrar o talismã.

Enquanto eu me entregava a pensamentos melancólicos, o alfaiate entrou.

– Um velho – disse ele – a quem não conheço trouxe-me a tua machadinha e as cordas, que encontrou no caminho. Saia e fale com ele, pois ele só as entregará a você.

Com esse discurso, mudei de cor e comecei a tremer. Enquanto o alfaiate me perguntava o motivo, a porta do meu quarto se abriu, e o velho apareceu para nós com minha machadinha e as cordas. Era o gênio sequestrador da bela princesa da Ilha de Ébano, que assim se disfarçou, depois de tê-la tratado com a maior barbárie.

— Eu sou o gênio — disse ele — filho da filha de Eblis, príncipe dos gênios. Não é esta a sua machadinha e não são essas as suas cordas?

Depois que o gênio me fez a pergunta, ele não me deu tempo de responder e eu nem teria conseguido, de tanto que seu aspecto terrível me perturbou. Ele me agarrou, arrastou-me para fora da câmara e, subindo no ar, carregou-me para os céus com tanta rapidez que não pude perceber como ele me carregava. Ele então desceu novamente da mesma maneira para a terra, que, de repente, ele fez com que se abrisse com um golpe de seu pé e então afundou de uma vez, quando então me encontrei no palácio encantado, diante da bela princesa da Ilha de Ébano. Mas, infelizmente, que cena horrível vi! A pobre princesa fervilhava de sangue no chão, mais morta do que viva, com o rosto banhado em lágrimas.

— Perversa miserável — disse o gênio a ela, apontando para mim —, quem é este?

Ela lançou seus olhos lânguidos sobre mim e respondeu com tristeza:

— Eu não o conheço. Eu nunca o vi até este momento.

— O quê? — disse o gênio. — Ele é a causa de você estar na condição em que está e ainda assim você ousa dizer que não o conhece?

— Se eu não o conheço — disse a princesa —, você me faria mentir de propósito para arruiná-lo?

— Ah, então — continuou o gênio, puxando um machado e entregando-o à princesa —, se você nunca o viu antes, pegue a cimitarra e corte sua cabeça.

— Ai de mim! — respondeu a princesa. — Minhas forças se esgotaram tanto que não consigo erguer meu braço e, se pudesse, como teria coragem de tirar a vida de um homem inocente?

— Essa recusa — disse o gênio à princesa — me informa suficientemente do seu crime.

Depois disso, voltando-se para mim, continuou:

— E tu, não a conheces?

Eu teria sido o desgraçado mais ingrato e o mais pérfido de toda a humanidade se não tivesse me mostrado tão fiel à princesa quanto ela foi a mim, que fui a causa de seus infortúnios; portanto, respondi ao gênio:

— Como poderia conhecê-la?

— Se for assim — disse ele —, pega o machado e corta sua cabeça: com esta condição te deixarei em liberdade, pois então estarei convencido de que nunca a viste até este momento, como dizes.

— Certo — disse pegando o machado na mão.

Mas fiz isso apenas para demonstrar com meu comportamento, tanto quanto possível, que, como ela havia demonstrado sua resolução de sacrificar sua vida por mim, eu não me recusaria a sacrificar a minha pela dela. A princesa, apesar de sua dor e sofrimento, entendeu o que eu quis dizer, o que ela expressou com um olhar amável. Diante disso, recuei e joguei o machado no chão.

— Eu seria eternamente — disse ao gênio — odioso para toda a humanidade se eu fosse tão vil a ponto de matar uma senhora como esta. Faça comigo o que quiser, pois estou em seu poder. Não posso obedecer às suas ordens bárbaras.

— Vejo — disse o gênio — que vocês dois me superaram, mas os dois saberão, pelo tratamento que lhes darei, o que sou capaz de fazer.

Com essas palavras, o monstro pegou o machado e cortou uma das mãos da princesa. Entrei em pânico com a cena. Quando voltei a mim, protestei com o gênio sobre o motivo de ele me fazer definhar na expectativa da morte.

— Golpeie-me — gritei —, pois estou pronto para receber o golpe mortal e espero que seja o maior favor que você pode me mostrar.

Mas, em vez de concordar com isso, ele disse:

— Veja como os gênios tratam suas esposas de quem eles desconfiam. Ela o recebeu aqui e, se eu tivesse certeza de que ela havia me ofendido, eu o mataria neste minuto, mas ficarei contente em transformá-lo em um cachorro, macaco, leão ou pássaro. Escolha qualquer um destes. Vou deixar isso para você.

Essas palavras me deram alguma esperança de acalmá-lo.

— Ó gênio, modere sua paixão e, já que não vai tirar minha vida, seja generoso. Sempre me lembrarei de você, se me permite, como um dos melhores homens do mundo.

— Tudo o que posso fazer por você — disse ele — é não tirar sua vida; não se gabe de que o mandarei de volta são e salvo. Devo deixá-lo sentir o que sou capaz de fazer com meus encantos.

Assim dizendo, ele colocou suas mãos violentas sobre mim e carregou-me através da abóbada do palácio subterrâneo, que se abriu para lhe dar passagem. Então ele voou comigo tão alto que a terra parecia ser apenas uma pequena nuvem branca; dali ele desceu como um raio e pousou no cume de uma montanha.

Lá ele pegou um punhado de terra e pronunciou, ou melhor, murmurou, algumas palavras que eu não entendi, e jogou-as sobre mim.

– Abandone a forma de homem e assuma a forma de um macaco.

Ele desapareceu imediatamente e me deixou sozinho, transformado em um macaco, dominado pela tristeza em um país estranho e sem saber se eu estava perto ou longe dos domínios de meu pai.

Desci do topo da montanha e cheguei a uma planície, que demorei um mês para percorrer, e então cheguei à beira-mar. Aconteceu então uma grande calmaria, e avistei um navio a cerca de dois quilômetros da costa. Não querendo perder essa boa oportunidade, quebrei um grande galho de árvore, que carreguei comigo até o mar, e me pus montado nele, com uma vara em cada mão para me servir de remo.

Lancei-me nesta postura e avancei perto do navio. Quando cheguei perto o suficiente para ser conhecido, os marinheiros e passageiros que estavam no convés acharam aquilo uma visão extraordinária, e todos me olharam com grande espanto. Nesse meio tempo, subi a bordo e, agarrando-me a uma corda, pulei para o convés, mas, tendo perdido a fala, fiquei em grande perplexidade. De fato, o risco que corri então foi nada menor do que quando estava à mercê do gênio.

Os mercadores, sendo supersticiosos e escrupulosos, acreditavam que eu causaria algum dano à sua viagem se eles me recebessem e quiseram me matar. Alguns deles não teriam deixado de fazê-lo se eu não tivesse chegado do lado em que estava o capitão. Eu me joguei a seus pés e implorei. Essa ação, junto com as lágrimas que ele viu jorrar de meus olhos, comoveu sua compaixão, de modo que ele me tomou sob sua proteção, ameaçando se vingar daqueles que tentassem me machucar. Ele mesmo me elogiava muito, enquanto eu, da minha parte, embora não tivesse força para falar, dava todos os sinais possíveis de gratidão com meus gestos.

O vento que sucedeu à calmaria foi suave e favorável e não mudou por cinquenta dias, mas nos trouxe a salvo ao porto de uma bela cidade, bem povoada e de grande comércio, a capital de um poderoso Estado.

Nossa embarcação foi rapidamente cercada por um número infinito de barcos cheios de gente, que vieram parabenizar seus amigos pela chegada a salvo, ou para indagar por aqueles que haviam deixado para trás no país de onde vieram, ou por curiosidade de ver um navio que veio de um país distante.

Entre os demais, alguns oficiais subiram a bordo, desejando falar com os mercadores em nome do sultão. Quando os mercadores apareceram, um dos oficiais disse-lhes:

– O sultão, nosso mestre, ordenou que avisássemos que ele está feliz com a sua chegada segura e reza para que se deem ao trabalho, cada um de vocês, de escrever algumas linhas sobre este rolo de papel. Você deve saber que tínhamos um primeiro vizir, que, além de ter uma grande capacidade de administrar os negócios, entendia a escrita com a maior perfeição. Este ministro morreu recentemente, com o que o sultão está muito preocupado e, como ele nunca pode contemplar sua escrita sem admiração, ele fez um voto solene de não ceder o lugar a ninguém, a não ser aquele que puder escrever tão bem quanto ele. Muitas pessoas apresentaram seus escritos, mas, até agora, ninguém em todo este império foi considerado digno de ocupar o lugar do vizir.

Os mercadores que acreditavam que podiam escrever bem o suficiente para aspirar a essa alta dignidade escreveram, um após o outro, o que achavam adequado. Depois que terminaram, avancei e tirei o rolo da mão do cavalheiro. Porém, como eles nunca tinham visto um macaco que soubesse escrever, tentaram arrancar o rolo da minha mão, mas o capitão mais uma vez me ajudou.

– Deixe-o em paz – disse ele –, deixe-o escrever. Se ele apenas rabiscar o papel, prometo que irei puni-lo na hora. Se, ao contrário, ele escrever bem, como espero que o faça, porque nunca vi um macaco tão inteligente, engenhoso e tão rápido para aprender, declaro que o terei como meu filho. Eu tinha um que não tinha nem metade da inteligência que ele tem.

Percebendo que ninguém se opunha ao meu projeto, peguei na caneta e escrevi seis tipos de versos usados pelos árabes, e cada espécime continha um verso ou poema extemporâneo em louvor ao sultão. Minha escrita não superava apenas a dos mercadores, mas, atrevo-me a dizer, eles nunca tinham visto nenhuma escrita semelhante naquele país. Quando terminei, os oficiais pegaram o rolo e o levaram para o sultão.

O sultão deu pouca atenção a quaisquer um dos outros escritos, mas considerou cuidadosamente o meu, que era tanto do seu agrado que disse aos oficiais:

– Peguem o melhor cavalo do meu estábulo, com o arreio mais rico, e um manto do brocado mais suntuoso para colocar naquela pessoa que escreveu os seis versos, e tragam-no aqui para mim.

A essa ordem, os oficiais não puderam deixar de rir. O sultão ficou zangado com a ousadia deles e estava pronto para puni-los, até que lhe disseram:

– Senhor, humildemente imploramos o perdão de sua majestade; estas mãos não foram escritas por um homem, mas por um macaco.

– O que você disse? – perguntou o sultão. – Essas letras admiráveis não foram escritas pelas mãos de um homem?

– Não, senhor – responderam os oficiais. – Asseguramos à vossa majestade que foi um macaco que as escreveu em nossa presença.

O sultão ficou muito surpreso com isso para não desejar me ver e, portanto, disse:

– Traga-me rapidamente esse macaco maravilhoso.

Os oficiais voltaram ao navio e mostraram ao capitão sua ordem, que respondeu que as ordens do sultão deveriam ser obedecidas. Em seguida, eles me vestiram com um rico manto de brocado e me carregaram para terra, onde me colocaram a cavalo, enquanto o sultão esperava por mim em seu palácio com um grande número de cortesãos, que ele reuniu para me prestar ainda mais honra.

Tendo começado a cavalgada, o porto, as ruas, os lugares públicos, as janelas, os terraços, os palácios e as casas foram preenchidos por um número infinito de pessoas de todos os tipos, que vieram de todas as partes da cidade para me ver, pois logo se espalhou o boato de que o sultão havia escolhido um macaco para ser seu grão-vizir; e, depois de ter servido de espetáculo ao povo, que não pôde deixar de manifestar sua surpresa redobrando seus gritos e choros, cheguei ao palácio do sultão.

Encontrei o príncipe em seu trono cercado pela nobreza. Fiz minha reverência três vezes e, por fim, ajoelhei-me e beijei o chão diante dele. Toda a assembleia me admirava e não conseguia compreender como era possível que um macaco pudesse entender tão bem como prestar ao sultão o devido respeito, e ele mesmo ficou mais surpreso do que qualquer um. Em suma, a cerimônia habitual da audiência teria sido completa se eu tivesse acrescentado a fala ao meu comportamento; mas os macacos nunca falam, e a vantagem que tive de ter sido um homem um dia não me permitiu esse privilégio.

O sultão dispensou seus cortesãos, e ninguém permaneceu com ele, exceto o chefe dos camareiros, um jovem escravo e eu. Ele saiu de sua câmara de audiência para seu próprio aposento, onde ordenou que o jantar fosse servido. Sentado à mesa, deu-me um sinal para me aproximar e comer com eles; para mostrar a minha obediência, beijei o chão, levantei-me, sentei-me à mesa e comi com discrição e moderação.

Antes que a mesa fosse retirada, avistei uma escrivaninha, à qual fiz um sinal para que me trouxessem; tendo-a conseguido, escrevi em um grande pêssego alguns versos à minha maneira, que atestavam meu conhecimento ao sultão, o que aumentou seu espanto. Quando a mesa foi retirada, trouxeram-lhe um determinado licor, do qual ele fez com que me dessem um copo. Bebi e escrevi nele alguns versos novos, que explicavam o estado a que estava reduzido depois de muitos sofrimentos. O sultão os leu da mesma forma e disse:

– Um homem que fosse capaz de fazer tanto estaria acima do maior dos homens.

O sultão fez com que trouxessem um tabuleiro de xadrez e me perguntou, por meio de um sinal, se eu entendia o jogo e queria jogar com ele. Eu beijei o chão e coloquei minha mão sobre minha cabeça, significando que eu estava pronto para receber aquela honra. Ele ganhou o primeiro jogo, mas ganhei o segundo e o terceiro; e, percebendo que ele estava um tanto aborrecido com isso, fiz um poema para acalmá-lo, no qual eu disse a ele que dois exércitos potentes tinham lutado furiosamente o dia todo, mas que eles fizeram as pazes ao anoitecer e passaram o resto da noite juntos em paz no campo de batalha.

Com tantas circunstâncias que pareciam ao sultão muito além de tudo o que alguém tinha visto ou conhecido sobre a inteligência ou o senso dos macacos, ele decidiu não ser a única testemunha daqueles prodígios.

– Peçam à minha filha que venha aqui. Desejo que ela compartilhe do prazer que estou tendo.

O camareiro foi e imediatamente trouxe a princesa, que estava com o rosto descoberto, mas ela mal havia entrado na sala quando colocou o véu e disse ao sultão:

– Senhor, estou muito surpresa que sua majestade tenha me chamado.

– Não, filha – disse o sultão –, aqui não está ninguém além da pequena escrava, o camareiro, o seu criado e eu, que temos a liberdade de ver seu rosto, mas, mesmo assim, você coloca seu véu.

– Senhor – disse a princesa –, vossa majestade logo entenderá que não estou errada. Aquele macaco que você vê, embora tenha a forma de um macaco, é um jovem príncipe, filho de um grande rei; ele foi metamorfoseado em macaco por um encantamento. Um gênio, o filho da filha de Eblis, maliciosamente fez isso errado, depois de ter cruelmente tirado a vida da princesa da Ilha de Ébano, filha do rei Epitimarus.

O sultão, espantado com o discurso, voltou-se para mim e não perguntou mais por sinais, mas por palavras claras se era verdade o que dizia a filha. Vendo que não conseguia falar, coloquei a mão na cabeça para indicar que o que a princesa falava era verdade. Diante disso, o sultão disse novamente à filha:

– Como você sabe que este príncipe foi transformado por encantamentos em um macaco?

– Senhor – respondeu a princesa –, vossa majestade deve lembrar-se de que, quando eu era criança, tinha uma velha senhora para me servir. Ela era uma feiticeira muito experiente e me ensinou setenta regras de magia, por meio das quais posso transportar sua capital para o meio do mar em um piscar de olhos ou para além do Monte Cáucaso. Por meio dessa ciência, conheço todas as pessoas encantadas à primeira vista. Eu sei quem elas são e por quem foram encantadas. Portanto, não se surpreenda se eu libertar imediatamente esse príncipe, apesar dos encantamentos, daquilo que o impede de aparecer aos seus olhos da forma que ele naturalmente é.

– Filha – disse o sultão –, não sabia que eras tão sábia.

– Senhor – respondeu a princesa –, essas coisas são curiosas e valem a pena conhecer, mas acho que não devo me gabar delas.

– Já que é assim – disse o sultão –, você pode dissipar o encantamento do príncipe.

– Sim, senhor – disse a princesa. – Eu posso restaurá-lo à sua forma original novamente.

– Faça isso então – disse o sultão. – Você não pode me dar um prazer maior, porque eu o terei como meu vizir, e ele se casará com você.

– Senhor – disse a princesa –, estou pronta para obedecê-lo em tudo o que você desejar me ordenar.

A princesa entrou em seu aposento, de onde trouxe uma faca, que tinha algumas palavras hebraicas gravadas na lâmina. Ela fez o sultão, o mestre dos camareiros, a pequena escrava e eu descermos para um pátio privado do palácio, e lá nos deixou sob uma galeria que o circundava. Ela se colocou no meio do pátio, onde fez um grande círculo, e dentro dele escreveu várias palavras em caracteres árabes, algumas delas antigas.

Quando ela terminou e preparou o círculo como ela achou adequado, ela se colocou no centro dele, onde começou a lançar feitiços e repetiu versos do Alcorão. O ar ficou insensivelmente escuro, como se fosse noite e se o mundo inteiro estivesse prestes a desaparecer. Entramos em pânico, e esse medo aumentou ainda mais quando vimos o gênio, filho da filha de Eblis, aparecer de repente na forma de um leão de tamanho assustador.

Assim que a princesa percebeu esse monstro, disse:

– Em vez de rastejar diante de mim, ousa se apresentar nesta forma, pensando em me assustar?

– E tu – respondeu o leão – não tens medo de quebrar o tratado, que foi solenemente feito e confirmado entre nós por juramento, de não errar ou fazer mal uns aos outros?

– Oh! Criatura amaldiçoada! – respondeu a princesa. – Eu posso justamente censurar-te por fazer isso.

O leão respondeu ferozmente:

– Logo terás a tua recompensa pelos problemas que causou com a minha volta.

Com isso, ele correu para devorá-la, mas ela, estando alerta, saltou para trás e teve tempo de arrancar um fio de seu cabelo e, ao pronunciar três ou quatro palavras, transformou-se em uma espada afiada, com a qual ela cortou o leão ao meio.

As duas partes do leão desapareceram, restando apenas a cabeça, que se transformou em um grande escorpião. Imediatamente a princesa se transformou em serpente e lutou contra o escorpião, que se viu derrotado, tomou a forma de uma águia e voou para longe, mas a serpente, ao mesmo tempo, tomou também a forma de uma águia negra, muito mais forte, e a perseguiu, de modo que os perdemos de vista.

Algum tempo depois de terem desaparecido, o chão se abriu diante de nós, e dele saiu uma gata, preta e branca, com os pelos ouriçados e miando de maneira assustadora; um lobo preto a seguiu de perto e não lhe deu tempo para descansar. A gata transformou-se em verme, e estando perto de uma romã caída acidentalmente de uma árvore que crescia ao lado de um canal profundo, mas não largo, o verme perfurou a romã em um instante e se escondeu. A romã inchou imediatamente e tornou-se do tamanho de uma abóbora, que, subindo até o telhado da galeria, rolou para frente e para trás, caiu novamente no pátio e se quebrou em vários pedaços.

O lobo, que, entretanto, havia se transformado em galo, começou a colher as sementes da romã uma após a outra, mas, não encontrando mais, veio em nossa direção com as asas abertas, fazendo um grande barulho, como se quisesse perguntar se havia mais sementes. Havia uma caída à beira do canal, que o galo percebeu quando voltou e correu rapidamente para lá, mas, no momento em que ia pegá-la, a semente rolou para o rio e se transformou em um peixinho.

O galo saltou no rio e transformou-se em um grande peixe que perseguia o peixinho; ambos continuaram debaixo d'água por mais de duas horas, e não sabíamos o que havia acontecido com eles. De repente, ouvimos gritos terríveis que nos fizeram tremer e, pouco depois, vimos o gênio e a princesa em chamas. Eles lançaram chamas de suas bocas um no outro, até que se aproximaram, e os dois incêndios aumentaram, com uma espessa fumaça ardente, que subiu tão alto que tínhamos motivos para temer que incendiasse o palácio.

Logo tivemos um motivo mais urgente para o medo, pois o gênio, tendo se libertado da princesa, veio até a galeria onde estávamos e soprou chamas sobre nós. Todos nós teríamos morrido se a princesa, correndo em nosso auxílio, não o tivesse forçado a se retirar com seus gritos e a se defender dela; no entanto, apesar de todos os seus esforços, ela não pôde impedir que a barba do sultão fosse queimada e seu rosto estragado, nem que o chefe dos camareiros fosse sufocado e queimado no local. O sultão e eu não esperávamos nada além da morte, quando ouvimos um grito de vitória e, de repente, a princesa apareceu em sua forma natural, e o gênio foi reduzido a um monte de cinzas.

A princesa aproximou-se de nós para não perder tempo, pediu um copo d'água, que a jovem escrava, que não havia sofrido nenhum dano, trouxe para ela. Ela o pegou e, depois de pronunciar algumas palavras sobre ele, jogou-o sobre mim, dizendo:

– Se você se tornou um macaco pelo encantamento, mude sua forma e tome a de homem, que você tinha antes.

Essas palavras mal foram pronunciadas e já me tornei um homem como era antes.

Eu estava me preparando para agradecer à princesa, mas ela me impediu dirigindo-se ao pai, assim:

– Senhor, eu ganhei a vitória sobre o gênio, como sua majestade pode ver, mas é uma vitória que me custa caro. Tenho apenas alguns minutos de vida, e você não terá a satisfação de fazer o casamento que pretendia. O fogo me perfurou durante o terrível combate e acho que está me consumindo gradualmente. Isso não teria acontecido se eu tivesse percebido a última semente de romã e a engolido como as outras, quando me transformei em galo. Esse deslize obrigou-me a recorrer ao fogo e a lutar com aqueles braços poderosos, como fiz entre o céu e a terra, na tua presença; pois, apesar de toda sua arte e experiência temíveis, fiz o gênio saber que entendia mais do que ele. Eu o conquistei e reduzi a cinzas, mas não posso escapar da morte, que se aproxima.

O sultão permitiu que a princesa continuasse com a narrativa de seu combate e, quando ela terminou, ele falou com ela em um tom que testemunhava suficientemente sua dor:

– Minha filha – disse ele –, veja você em que condições está seu pai. Ai de mim! Eu me pergunto se ainda estou vivo!

Ele não conseguiu falar mais, pois suas lágrimas, suspiros e soluços o deixaram sem palavras. Sua filha e eu choramos com ele.

Nesse meio tempo, enquanto estávamos competindo um com o outro pelo luto, a princesa gritou:

– Estou queimando! Estou queimando!

Ela descobriu que o fogo que a consumia tinha finalmente se apoderado de todo o seu corpo, o que a fez gritar ainda mais, até que a morte pôs fim a suas dores intoleráveis. O efeito daquele fogo foi tão extraordinário que, em poucos segundos, ela foi totalmente reduzida a cinzas, como o gênio.

Como fiquei triste com um espetáculo tão sombrio! Eu preferia, por toda a minha vida, continuar sendo um macaco ou um cachorro do que ver minha benfeitora morrer miseravelmente. O sultão, aflito além do que se pode imaginar, gritou de forma lastimável e se espancou na cabeça, até ficar totalmente dominado pela dor, e desmaiou, o que me fez temer por sua vida. Nesse ínterim, os oficiais vieram correndo devido aos gritos do sultão e, com muito barulho, trouxeram-no de volta a si. Não foi preciso que ele e eu lhes contássemos uma longa narrativa dessa aventura para convencê-los da sua grande perda. Os dois montes de cinzas, em que a princesa e o gênio foram reduzidos, eram demonstração suficiente. O sultão mal conseguia ficar de pé, então teve de ser sustentado até que pudesse chegar ao seu aposento.

Quando a notícia do trágico acontecimento se espalhou pelo palácio e pela cidade, todas as pessoas lamentaram o infortúnio da princesa e foram muito afetadas pela aflição do sultão. Todos ficaram em luto profundo por sete dias, e muitas cerimônias foram realizadas. As cinzas do gênio foram lançadas ao ar, mas as da princesa foram recolhidas em uma preciosa urna para ser guardada, e a urna foi colocada em uma tumba imponente, que foi construída para esse fim no mesmo lugar onde as cinzas haviam caído.

A dor que o sultão sentiu pela perda de sua filha o lançou em uma grave doença, que o confinou em seu quarto por um mês inteiro. Ele não havia recuperado totalmente as forças quando mandou chamar-me:

– Príncipe – disse ele –, ouve as ordens que agora lhe dou; vai custar a sua vida se não as colocar em execução.

Assegurei-lhe a obediência exata, e ele continuou assim:

– Tenho vivido constantemente em perfeita felicidade e nunca fui atingido por nenhum acidente; mas, com a sua chegada, toda a felicidade que eu possuía desapareceu. Minha filha está morta, seu assistente não existe mais, e é por um milagre que ainda estou vivo. Você é a causa de todos os infortúnios pelos quais é impossível que eu seja consolado. Portanto, saia daqui em paz, sem mais demora, pois eu mesmo irei perecer se você ficar por mais tempo; estou persuadido de que sua presença traz consigo o mal. Isso é tudo que tenho a dizer a você. Parta e tome cuidado para nunca mais aparecer em meus domínios; nenhuma súplica irá me impedir de fazer você se arrepender disso.

Eu ia falar, mas ele calou minha boca com palavras cheias de raiva, e assim fui obrigado a deixar seu palácio, rejeitado, banido, um pária do mundo, e sem saber o que seria de mim.

Depois disso, me fechei totalmente e essa é a história que explica por que acabei me tornando um eremita.

Príncipe Beder e a princesa Giauhara

(de *As mil e uma noites*. Richard Francis Burton, 1880)

O jovem príncipe Beder foi criado e educado no palácio sob os cuidados do rei e da rainha da Pérsia e sempre enchia todos de alegria com sua simpatia e seu senso de justiça. O rei Saleh, seu tio, a rainha, sua avó, e as princesas, seus parentes, vinham de vez em quando para vê-lo. Ele aprendeu facilmente a ler e escrever e foi instruído em todas as ciências consideradas importantes.

Aos quinze anos, já era muito sábio e prudente. O rei, que quase desde o berço havia percebido nele essas virtudes tão necessárias para um monarca e que além disso começara a perceber as enfermidades da velhice vindo sobre si todos os dias, julgou melhor renunciar ao trono em favor de seu filho, em vez de esperar a morte chegar para que o príncipe assumisse. Ele não teve grande dificuldade em fazer seu conselho consentir, e o povo ouviu a decisão com muita alegria, porque considerava o príncipe Beder digno de governá-los. Eles viram que ele tratava a todos com tal bondade que os convidava a se aproximar dele, que ele ouvia favoravelmente todos os que tinham algo a dizer a ele, que ele respondia a todos com uma bondade que lhe era peculiar e que ele não recusava a ninguém nada que parecesse justo.

O dia da cerimônia foi marcado. No meio da assembleia, que era maior do que o normal, o rei da Pérsia, então sentado em seu trono, desceu, tirou a coroa de sua cabeça, colocou-a na do príncipe Beder e, colocando-o em seu lugar, beijou sua mão, como um sinal de que ele renunciava sua autoridade em favor do filho. Depois disso, ocupou seu lugar entre a multidão de vizires e emires abaixo do trono.

Em seguida, os oficiais principais vieram imediatamente e se jogaram aos pés do novo rei, fazendo cada um juramento de fidelidade de acordo com sua posição. Então, o grão-vizir fez um relatório sobre vários assuntos importantes, sobre os quais o jovem rei julgou com admirável prudência e sagacidade, o que surpreendeu todo o conselho. Em seguida, ele denunciou vários governadores condenados por má administração e colocou outros em seu lugar, com discernimento maravilhoso e justo. Ele finalmente deixou o conselho, acompanhado pelo ex-rei, seu pai, e foi ver sua mãe, a rainha Gulnare. Assim que a rainha o viu chegando com a coroa sobre a cabeça, correu para ele e o abraçou com ternura, desejando-lhe um longo e próspero reinado.

No primeiro ano de seu reinado, o rei Beder cumpriu com grande cuidado todas as suas funções reais. Acima de tudo, ele se preocupou em informar-se sobre o estado de seus negócios e tudo o que pudesse de alguma forma contribuir para a felicidade de seu povo. No ano seguinte, tendo deixado a administração ao seu conselho, sob a direção do velho rei, seu pai, saiu de sua capital a pretexto de se divertir com a caça, mas sua real intenção era visitar todas as províncias de seu reino para que pudesse corrigir todos os abusos ali, estabelecer a boa ordem e disciplina em todos os lugares e tirar de todos os príncipes mal-intencionados qualquer oportunidade de tentar algo contra a segurança e tranquilidade de seus súditos.

Demorou nada menos que um ano inteiro para que este jovem rei realizasse seus planos. Logo após seu retorno, o velho rei, seu pai, adoeceu tão gravemente que soube imediatamente que nunca se recuperaria. Ele esperou seu último minuto de vida com grande tranquilidade e seu único cuidado foi recomendar aos ministros e outros senhores da corte de seu filho que permanecessem fiéis a ele. Ele morreu, finalmente, para grande tristeza do rei Beder e da rainha Gulnare, que ordenou que seu cadáver fosse levado a um mausoléu digno de sua posição e dignidade.

Terminado o funeral, o rei Beder não encontrou dificuldade em cumprir o antigo costume da Pérsia de prantear os mortos durante um mês inteiro e de não ser visto por ninguém durante todo esse tempo. Ele teria lamentado a morte de seu pai por toda a vida, se fosse certo para um grande príncipe abandonar-se assim à dor. Durante esse intervalo, a rainha, mãe da rainha Gulnare, e o rei Saleh, junto com as princesas, seus parentes, chegaram à corte persa e compartilharam sua aflição, antes de oferecerem qualquer consolo.

Quando o mês de luto terminou, o rei não pôde recusar-se a receber o grão-vizir e os outros senhores de sua corte, que lhe rogaram que deixasse de lado o luto, para apresentar-se a seus súditos e assumir a administração dos negócios como antes.

Ele mostrou tamanha relutância com o pedido que o grão-vizir foi forçado a dizer a ele:

– Senhor, nem nossas lágrimas nem as suas são capazes de restaurar a vida ao bom rei, seu pai, embora devamos lamentá-lo todos os nossos dias. Ele foi submetido à lei comum de todos os homens, que os sujeita a pagar o tributo indispensável da morte. No entanto, não podemos dizer absolutamente que ele está morto, já que o vemos em sua pessoa sagrada. Ele mesmo não duvidou, quando estava morrendo, que deveria reviver em você, e à vossa majestade cabe seguir seu desejo.

O rei Beder não podia mais se opor a tais súplicas urgentes. Ele deixou de lado seu luto e, depois de ter retomado as vestes e os ornamentos reais, começou a prover as necessidades de seu reino e de seus súditos com o mesmo cuidado de antes da morte de seu pai. Ele foi aprovado por todos, e, como manteve as ordens de seu predecessor, o povo não sentiu que havia mudado de soberano.

O rei Saleh, tio de Beder, que havia retornado aos seus domínios no mar com a rainha, mãe da rainha Gulnare, e as princesas, mal viu o rei Beder retomar o governo e, no final do mês, veio sozinho para visitá-lo. O rei Beder e a rainha Gulnare ficaram muito felizes em vê-lo.

Uma noite, ao se levantarem da mesa, conversaram sobre vários assuntos. O rei Saleh começou elogiando o rei, seu sobrinho, e expressou à rainha, sua irmã, como estava feliz por vê-lo governar com tanta prudência, o que lhe trouxera grande reputação não apenas entre seus vizinhos, mas também entre príncipes mais remotos. O rei Beder, que não suportava ouvir falar tão bem de si mesmo e que não estava disposto, por educação, a interromper o rei, seu tio, virou-se para dormir, encostando a cabeça em uma almofada que estava atrás dele.

– Irmã – disse o rei Saleh –, eu me pergunto se você ainda não pensou em arranjar um casamento para ele. Se não me engano, ele já tem vinte anos e, nessa idade, nenhum príncipe como ele deve ser deixado sem esposa. Vou pensar em uma esposa para ele, já que você não vai, e casá-lo com alguma princesa que possa ser digna dele.

– Irmão – respondeu a rainha Gulnare –, não havia pensado nisso até agora e estou feliz que você tenha falado sobre isso comigo. Aceito que você pense em uma candidata e desejo que você nomeie uma tão bela e talentosa que o rei, meu filho, possa amá-la.

– Eu conheço uma que se será perfeita – respondeu o rei Saleh, suavemente –, mas vejo muitas dificuldades a superar, não por parte da senhora, como espero, mas por parte do pai dela: falo da princesa Giauhara, filha do rei de Samandal.

– O quê? – respondeu a rainha Gulnare. – A princesa Giauhara ainda não é casada? Lembro-me de tê-la visto antes de deixar seu palácio; ela tinha então cerca de dezoito meses de idade e era surpreendentemente bonita, e deve ser a maravilha do mundo. Os poucos anos que ela é mais velha que o rei, meu filho, não devem nos impedir de fazer o máximo para que isso aconteça. Conte-me quais dificuldades devem ser superadas e nós as superaremos.

– Irmã – respondeu o rei Saleh –, a maior dificuldade é que o rei de Samandal é insuportavelmente vaidoso e considera todos os outros inferiores; não é provável que consigamos fazê-lo entrar facilmente nessa aliança. De minha parte, irei pessoalmente e pedirei a ele a princesa sua filha. Caso ele a recuse, nos dirigiremos a outro lugar, onde seremos mais favoravelmente ouvidos. Por essa razão, como você pode perceber – acrescentou ele –, é bom que o rei, meu sobrinho, não saiba nada sobre isso para que não se apaixone pela princesa Giauhara até que tenhamos o consentimento do rei de Samandal.

Discorreram um pouco mais sobre esse ponto e, antes de se separarem, concordaram que o rei Saleh deveria retornar imediatamente aos seus próprios domínios e conversar com o rei de Samandal.

Acontece que o rei Beder tinha ouvido a conversa e imediatamente se apaixonou pela princesa Giauhara sem nem mesmo tê-la visto, e assim ficou acordado pensando nela a noite toda. No dia seguinte, o rei Saleh despediu-se da rainha Gulnare e do rei, seu sobrinho. Ele pediu, contudo, ao tio que ficasse mais um dia para que pudessem caçar juntos. O dia da caça foi marcado, e o rei Beder teve muitas oportunidades de ficar sozinho com seu tio, mas não teve coragem de abrir a boca. No calor da perseguição, quando o rei Saleh foi separado dele e nenhum de seus oficiais e assistentes estava por perto, ele desceu perto de um riacho e, tendo amarrado seu cavalo a uma árvore que, como várias outras crescendo ao longo das margens, oferecia uma sombra muito agradável, ele se deitou na grama. Ele permaneceu um bom tempo absorto em pensamentos, sem dizer uma palavra.

Nesse meio tempo, o rei Saleh, sentindo falta de seu sobrinho, começou a ficar muito preocupados em saber o que havia acontecido com ele. Ele deixou sua comitiva para ir em busca do rei e, por fim, percebeu-o a distância. Ele havia observado no dia anterior, e mais claramente naquele dia, que ele não estava tão animado como costumava ser e que, se lhe fizessem uma pergunta, ele não responderia de forma alguma. Assim que o rei Saleh o viu deitado naquela postura desconsolada, ele imediatamente adivinhou que tinha ouvido a conversa com a rainha. Desceu do cavalo a certa distância do sobrinho e, tendo amarrado seu cavalo a uma árvore, aproximou-se dele tão suavemente que o ouviu dizer a si mesmo:

– Amável princesa do reino de Samandal, gostaria de oferecer-lhe meu coração se soubesse onde encontrá-la.

O rei Saleh não quis ouvir mais; ele avançou imediatamente e mostrou-se ao rei Beder.

— Pelo que vejo, sobrinho — disse ele —, você ouviu o que a rainha, sua mãe, e eu dissemos outro dia sobre a princesa Giauhara. Não era nossa intenção que você soubesse de nada e pensamos que você estava dormindo.

— Meu querido tio — respondeu o rei Beder —, eu ouvi cada palavra, mas tive vergonha de revelar a você minha fraqueza. Suplico-lhe que tenha pena de mim e não espere para obter o consentimento do rei de Samandal para que eu me case com sua filha.

Essas palavras do rei da Pérsia envergonharam muito o rei Saleh. O tio explicou como era difícil e que ele não poderia fazer nada assim sem que o jovem rei o acompanhasse, o que poderia tazer consequências perigosas, já que sua presença era absolutamente necessária em seu reino. O tio implorou que ele esperasse, mas essas razões não foram suficientes para satisfazer o rei da Pérsia.

— Meu cruel tio — disse ele —, descobri que você não me ama tanto quanto fingia e que preferia me ver morrer a atender o primeiro pedido que lhe fiz.

— Estou pronto para convencer vossa majestade — respondeu o rei Saleh — de que faria qualquer coisa para servi-lo; mas, quanto a carregá-lo comigo, não posso fazer isso antes de falar com a rainha, sua mãe. O que ela diria de você e de mim? Se ela consentir, farei tudo o que você deseja e unirei minhas súplicas às suas.

— Se você realmente me ama — respondeu o rei da Pérsia com impaciência —, como você quer que eu acredite, deve retornar ao seu reino imediatamente e levar-me junto com você.

O rei Saleh, vendo-se obrigado a ceder ao sobrinho, tirou de seu dedo um anel, no qual estavam gravados os mesmos nomes misteriosos que estavam no selo de Salomão, que haviam feito tantas maravilhas por sua virtude.

– Aqui, pegue este anel – disse ele –, coloque-o no dedo e não tema as águas do mar, nem suas profundezas.

O rei da Pérsia pegou o anel e, quando o colocou no dedo, o rei Saleh disse-lhe:

– Faça o que eu faço.

Ao mesmo tempo, os dois subiram levemente no ar e dirigiram-se ao mar, que não estava muito distante, no qual ambos mergulharam.

O rei do mar não demorou a chegar a seu palácio com o rei da Pérsia, que ele imediatamente levou para o aposento da rainha e apresentou a ela. O rei da Pérsia beijou as mãos da rainha, sua avó, e ela o abraçou com grande alegria.

– Não pergunto como você está – disse ela –, pois vejo que você está muito bem e estou muito contente com isso, mas desejo saber como está minha filha, sua mãe, a rainha Gulnare?

O rei da Pérsia disse à rainha, sua avó, que sua mãe gozava de perfeita saúde. Então a rainha o apresentou às princesas e, enquanto ele estava conversando com elas, deixou-o e foi falar com o rei Saleh, que lhe contou como seu sobrinho se apaixonara pela princesa Giauhara e que não conseguiu evitar trazê-lo consigo.

Embora o rei Saleh fosse, para lhe fazer justiça, perfeitamente inocente, a rainha dificilmente poderia perdoar sua indiscrição ao mencionar a princesa Giauhara para o jovem rei.

— Sua imprudência não pode ser perdoada — disse ela para o rei Saleh. — Você pensa mesmo que o rei de Samandal, cujo caráter é tão conhecido, terá mais consideração por você do que os muitos outros reis aos quais ele recusou sua filha? Você está procurando confusão. Gostaria que ele o expulsasse do palácio?

— Senhora — respondeu o rei Saleh —, já lhe disse que não era minha intenção que o meu sobrinho ouvisse o que falei sobre a princesa Giauhara à rainha, minha irmã. A falha foi cometida. Portanto, farei tudo o que puder para remediar. Espero que aprove minha resolução de ir pessoalmente falar com o rei de Samandal, levando um rico presente de pedras preciosas, e pedir que sua filha se case com o meu sobrinho. Tenho alguns motivos para acreditar que ele não me recusará, mas ficará satisfeito com uma aliança com um dos mais poderosos reis que existem.

— Seria desejável — respondeu a rainha — que não tivéssemos a necessidade de fazer essa exigência, já que o sucesso de nossa tentativa não é tão certo quanto poderíamos desejar, mas, uma vez que a paz de meu neto depende disso, dou livremente meu consentimento. Entretanto, acima de tudo, exijo-lhe, visto que conhece bem o temperamento do rei de Samandal, que tome o cuidado de falar com ele com o devido respeito e de uma maneira que não possa ofendê-lo.

A rainha preparou o presente ela mesma, composto de diamantes, rubis, esmeraldas e colares de pérolas; tudo isso ela colocou em uma caixa muito bonita e muito rica. Na manhã seguinte, o rei Saleh despediu-se de sua majestade e do rei da Pérsia e partiu com uma pequena tropa de oficiais e outros assistentes. Ele logo chegou ao reino e ao palácio do rei de Samandal, que se levantou de seu trono assim que o percebeu. O rei Saleh, esquecendo-se por alguns instantes do seu caráter, embora soubesse com quem tinha que lidar, prostrou-se a seus pés, desejando-lhe a realização de todos os seus desejos. O rei de Samandal imediatamente se abaixou para levantá-lo e, depois de colocá-lo à sua esquerda, disse-lhe que era bem-vindo e perguntou-lhe se havia algo que ele pudesse fazer para servi-lo.

– Senhor – respondeu o rei Saleh –, embora eu não tenha outro motivo senão prestar meus respeitos ao príncipe mais potente, mais prudente e mais valente do mundo, frágeis seriam minhas expressões de quanto honro vossa majestade.

Tendo dito estas palavras, ele pegou a caixa de joias de um de seus servos e, tendo-a aberta, apresentou-a ao rei, implorando-lhe que a aceitasse.

O rei de Samandal respondeu:

– Você não me traria tal presente, a menos que tivesse um pedido a propor. Se houver algo que eu possa fazer, pode pedi-lo e terei o maior prazer em concedê-lo. Fale e diga-me francamente como posso servi-lo.

– Devo confessar – respondeu o rei Saleh –, tenho uma bênção a pedir à vossa majestade e tomarei o cuidado de não pedir nada, exceto o que está em seu poder conceder.

A coisa depende tão absolutamente de você que seria inútil pedi-la a qualquer outro. Peço-a então com toda a sinceridade possível e imploro-lhe que não a recuse.

– Se for assim – respondeu o rei de Samandal –, você não tem nada a fazer a não ser me informar o que é e você verá de que maneira eu posso ajudá-lo.

– Senhor – disse o rei Saleh –, como a confiança de vossa majestade me encorajou a confiar em sua boa vontade, não vou mais fingir. Vim implorar a você que honre nossa casa com sua aliança por meio do casamento de sua ilustre filha, a princesa Giauhara, e que assim se fortaleça o bom entendimento que existe há tanto tempo entre nossas duas coroas.

Com essas palavras, o rei de Samandal caiu na gargalhada, caindo para trás em seu trono contra uma almofada que o sustentava, e, com um ar imperioso e desdenhoso, disse ao rei Saleh:

– Rei Saleh, até agora o considerava um monarca de grande senso, mas o que você diz me convence do quanto me enganei. Diga-me, peço-lhe, onde estava a sua discrição quando imaginou um absurdo tão grande como o que acaba de me propor? Você imaginava que eu consentiria no casamento da princesa, a filha de um rei tão grande e poderoso como eu? Devias ter pensado melhor sobre a grande distância entre nós e não correr o risco de perder em um instante a estima que sempre tive por ti.

O rei Saleh ficou extremamente irritado com essa resposta e teve muito trabalho para conter seu ressentimento. No entanto, ele respondeu com toda a moderação possível:

— Deus recompense sua majestade como você merece! Informo que solicito a mão de sua filha em casamento, mas não para mim. Se eu tivesse feito isso, sua majestade e a princesa estariam longe de se ofender, ao contrário, estariam honrados. Vossa majestade bem sabe que sou um dos reis do mar, assim como você; que os reis, meus ancestrais, não cederam na antiguidade a nenhuma outra família real e que o reino que herdei deles não é menos potente e próspero que o vosso. Se vossa majestade não tivesse me interrompido, logo saberia que o favor que lhe peço não é para mim, mas para o jovem rei da Pérsia, meu sobrinho, cujo poder e grandeza, não menores que suas boas qualidades pessoais, o senhor conhece. Todos reconhecem que a princesa Giauhara é a pessoa mais bonita do mundo, mas não é menos verdade que o jovem rei da Pérsia, meu sobrinho, é o melhor e mais talentoso príncipe da terra. Assim, o favor que é pedido provavelmente redundará em honra tanto de sua majestade quanto da princesa, sua filha. Estou certo de que o senhor sabe que o seu consentimento a uma aliança tão igual será aprovado por unanimidade em todos os reinos do mar. A princesa é digna do rei da Pérsia, e o rei da Pérsia não é menos digno dela. Nenhum rei ou príncipe no mundo pode disputá-la com ele.

O rei de Samandal não permitiria que o rei Saleh continuasse falando daquela forma insolente. Demorou algum tempo antes que ele pudesse reencontrar seu fôlego. Por fim, porém, ele começou a falar em uma linguagem ultrajante, indigna de um grande rei.

— Cão! — gritou ele. — Como você ousa falar comigo dessa maneira e até mesmo mencionar o nome da minha filha na minha presença? Você acha que o filho de sua irmã Gulnare é digno de competir com minha filha? Quem é você? Quem foi seu pai? Quem é sua irmã? E quem é seu sobrinho? Guardas, prendam o desgraçado insolente e cortem sua cabeça.

Os poucos oficiais que estavam ao redor do rei de Samandal estavam prontos para obedecer imediatamente às suas ordens quando o rei Saleh, que era ágil e vigoroso, afastou-os antes que pudessem sacar seus sabres. Tendo alcançado o portão do palácio, ele encontrou mil de seus homens, todos bem armados e equipados, que tinham acabado de chegar. A rainha, sua mãe, prevendo a má recepção que provavelmente teria do rei de Samandal, havia enviado essas tropas para protegê-lo e defendê-lo em caso de perigo, ordenando-lhes a se apressar.

— Senhor! — gritaram seus aliados, no momento em que ele se juntou a eles. — O que está acontecendo? Estamos prontos para vingá-lo, você só precisa dar a ordem.

O rei Saleh relatou seu caso a eles com o mínimo de palavras possível e, colocando-se à frente de uma grande tropa, enquanto alguns se apoderavam dos portões, voltou a entrar no palácio como antes. Após se livrar dos poucos guardas que o seguiam, ele entrou no aposento do rei de Samandal, que, tendo sido abandonado pelos seus homens, foi logo capturado. O rei Saleh então foi de aposento em aposento em busca da princesa Giauhara, mas a princesa, ao primeiro alarme, tinha, junto com suas damas, fugido para o mar e escapado para uma ilha deserta.

Enquanto isso acontecia no palácio do rei de Samandal, alguns assistentes do rei Saleh que haviam fugido relataram à rainha-mãe o perigo em que seu filho estava. O rei Beder, que estava perto naquele momento, ficou ainda mais preocupado por se considerar o principal culpado por tudo e, não se importando mais em permanecer na presença da rainha, ele saiu em disparada do fundo do mar. Sem saber como localizar o caminho para o reino da Pérsia, ele encontrou por acaso a ilha onde a princesa Giauhara se refugiara.

O príncipe então foi sentar-se à sombra de uma grande árvore. Enquanto tentava se recuperar, ouviu alguém falando, mas estava muito distante para entender o que era dito. Ele se ergueu e avançou suavemente em direção ao lugar de onde vinha o som e, entre os galhos, percebeu uma belíssima dama.

– Sem dúvida – disse ele para si mesmo, parando e considerando-a com grande atenção –, esta deve ser a princesa Giauhara, a quem o medo obrigou a abandonar o palácio de seu pai. Dito isso, ele se adiantou e se aproximou da princesa com profunda reverência.

– Senhora – disse ele –, não poderia ter me acontecido uma felicidade maior do que esta oportunidade de oferecer-lhe meus mais humildes serviços. Suplico-lhe, portanto, senhora, que os aceite, sendo impossível que uma senhora nesta solidão não queira ajuda.

— É verdade, meu senhor — respondeu Giauhara com muito pesar —, não é nada extraordinário para uma dama na minha posição estar nesta situação. Eu sou uma princesa, filha do rei de Samandal, e meu nome é Giauhara. Eu estava no palácio do meu pai quando de repente ouvi um barulho terrível: imediatamente me deram a notícia de que o rei Saleh, não sei por qual razão, forçara a entrada no palácio, prendera o rei, meu pai, e assassinara todos os guardas que fizeram alguma resistência. Tive apenas tempo para me salvar e escapei de sua violência.

Com essas palavras da princesa, o rei Beder começou a ficar preocupado por ter deixado sua avó tão precipitadamente, sem ficar para ouvir dela uma explicação sobre as notícias que lhe haviam sido trazidas.

— Adorável princesa — continuou ele —, sua preocupação é muito justa, mas é fácil resolvê-la. Sou Beder, rei da Pérsia, e o rei Saleh é meu tio. Garanto-lhe, senhora, que ele não tem intenção de se apoderar dos domínios do rei, seu pai; sua única intenção é obter seu consentimento para que eu seja seu marido. Já havia dado meu coração a você e agora, longe de me arrepender do que fiz, peço-lhe que tenha a certeza de que vou amá-la enquanto viver. Permita-me então, linda princesa, ter a honra de ir apresentá-la ao rei, meu tio; e assim que o rei, seu pai, consentir em nosso casamento, o rei Saleh devolverá a ele seus domínios.

Essa declaração do rei Beder não produziu o efeito que ele esperava. Quando a princesa ouviu de sua própria boca que ele tinha sido a causa dos maus-tratos que seu pai sofrera, da dor e do medo que ela suportara e, especialmente, da necessidade que ela teve de fugir, ela olhou para ele como um inimigo com o qual ela nunca se relacionaria.

O rei Beder, acreditando ter chegado ao auge da felicidade, estendeu a mão e, pegando a da princesa, abaixou-se para beijá-la, quando ela, empurrando-o para trás, disse:

– Desgraçado, saia dessa forma de homem e pegue a de um pássaro branco, com bico e pés vermelhos.

Ao pronunciar essas palavras, o rei Beder foi imediatamente transformado em um pássaro, para sua grande surpresa.

– Leve-o – disse ela a uma de suas damas – e conduza-o para a Ilha Seca.

A Ilha Seca tratava-se apenas de uma rocha assustadora, onde não havia uma gota d'água disponível.

A criada pegou o pássaro e, ao executar as ordens de sua princesa, teve compaixão pelo destino de rei Beder.

– Seria uma grande pena – disse ela para si mesma – deixar um príncipe tão digno morrer de fome e sede. A princesa, tão boa e gentil, vai, talvez, se arrepender dessa ordem cruel quando ela voltar a si: seria melhor que eu o levasse para um lugar onde ele possa morrer de morte natural.

Consequentemente, ela o levou para uma ilha que parecia bem frequentada e o deixou em uma planície encantadora, com todos os tipos de árvores frutíferas e circundada por vários riachos.

Voltemos ao rei Saleh. Depois de ter procurado um bom tempo pela princesa Giauhara e ordenado a outros que a procurassem, sem obter nenhum êxito, ele ordenou que o rei de Samandal fosse trancado em seu próprio palácio, sob a proteção de uma forte guarda. Tendo dado as ordens necessárias para governar o reino em sua ausência, ele voltou para dar à rainha, sua mãe, um relato do que havia feito. A primeira coisa que perguntou ao chegar foi o paradeiro do rei, seu sobrinho, e soube, com grande surpresa e aborrecimento, que havia desaparecido.

– Recebi notícias – disse a rainha – do perigo que você corria no palácio do rei de Samandal e, enquanto eu dava ordens para enviar outras tropas para vingá-lo, ele desapareceu. Ele deve ter ficado com medo ao saber que você corria um perigo tão grande e não se achou em segurança suficiente conosco.

Essa notícia afligiu muito o rei Saleh, que agora se arrependia de ter sido tão facilmente influenciado pelo rei Beder a ponto de levá-lo embora sem o consentimento de sua mãe. Enquanto ele estava aflito por seu sobrinho, deixou seu reino sob a administração de sua mãe e foi governar o do rei de Samandal.

A rainha Gulnare estava muito preocupada com o desaparecimento do filho e foi visitar sua mãe. Essa preocupação começou dias antes, quando os oficiais, que haviam acompanhado o rei durante a caçada com seu tio, foram obrigados a retornar depois de terem procurado em vão por eles. Relataram também à rainha que haviam encontrado seus cavalos, mas não sabiam o que havia ocorrido com o rei Beder e seu tio.

A rainha, ao ouvir isso, resolveu dissimular e ocultar sua aflição, ordenando aos oficiais que procurassem por eles mais uma vez, com a maior diligência; mas, nesse meio tempo, sem dizer nada a ninguém, ela mergulhou no mar, para satisfazer sua suspeita de que o rei Saleh devia ter levado o sobrinho com ele.

A rainha teria sido mais afetuosamente recebida pela rainha sua mãe se ela não tivesse, à primeira vista, adivinhado a ocasião de sua vinda.

– Filha – disse ela –, percebo claramente que você não veio aqui para me visitar; você vem perguntar pelo rei, seu filho; e a única notícia que posso lhe contar aumentará tanto a sua dor quanto a minha. Fiquei contente quando o vi chegar em nossos territórios; no entanto, quando compreendi que ele havia partido sem o seu conhecimento, comecei a sentir a preocupação que você deve estar sentindo.

Em seguida, ela contou à sua filha como o rei Saleh fora exigir a princesa Giauhara em casamento para o rei Beder e o que havia acontecido, até que seu filho desapareceu.

– Seu irmão fez tudo o que estava ao seu alcance. Todos os nossos esforços até agora foram malsucedidos, mas devemos ter esperança de vê-lo novamente, talvez quando menos esperarmos.

A rainha Gulnare não ficou satisfeita com aquela mensagem de esperança. Ela considerou o rei, seu querido filho, perdido e lamentou-se amargamente, colocando toda a culpa em seu tio. A rainha-mãe a fez considerar a necessidade de não ceder muito ao seu pesar.

– O rei, seu irmão – disse ela –, não deveria, é verdade, ter falado com você de forma tão imprudente sobre aquele casamento, nem jamais consentir em levar embora o rei, meu neto, sem primeiro consultá-la. Contudo, como não há certeza de que o rei da Pérsia está de fato desaparecido, você deve preservar o reino para ele: não perca, então, mais tempo e volte para sua capital; sua presença lá será necessária e não será difícil preservar a paz pública, fazendo com que seja publicado que o rei da Pérsia está ausente porque foi visitar sua avó.

A rainha Gulnare cedeu. Ela se despediu da rainha, sua mãe, e estava de volta ao palácio da capital da Pérsia antes que sentissem sua falta. Ela imediatamente mandou chamar de volta os oficiais que foram atrás do rei, informando que sabia onde estava sua majestade e que logo o veriam novamente. Ela também governou com o primeiro-ministro e o conselho tão calmamente como se o rei estivesse presente.

Voltemos, agora, ao rei Beder, que a criada da princesa Giauhara carregara e deixara na Ilha Seca. Ele não ficou nem um pouco surpreso quando se viu sozinho e sob a forma de um pássaro. Ele se sentiu ainda mais infeliz por não saber onde estava, nem o quão longe estava do reino da Pérsia. Ele foi forçado a permanecer ali, a viver com a comida que os pássaros de sua espécie costumavam comer e a passar a noite em uma árvore.

Poucos dias depois, um camponês habilidoso em pegar pássaros com redes por acaso chegou ao local onde o rei estava. Ao perceber um pássaro tão belo, como ele nunca tinha visto antes, o camponês se animou. Ele empregou toda a sua arte para capturar o pássaro e, por fim, conseguiu. Muito feliz com um prêmio tão grande, que ele considerava de mais valor do que todos os outros pássaros, o camponês trancou o príncipe em uma gaiola e o carregou para a cidade. Assim que entrou no mercado, um cidadão o parou e perguntou quanto ele queria por aquele pássaro.

Em vez de responder, o camponês perguntou ao cidadão o que faria com ele caso o comprasse?

– O que queres que eu faça – respondeu o cidadão – senão assá-lo e comê-lo?

– Se for esse o caso – respondeu o camponês –, seria um valor muito alto. Embora eu esteja com idade avançada, nunca vi um pássaro assim em minha vida. Tenho a intenção de dá-lo de presente ao rei; ele saberá o valor dele melhor do que você.

Saindo do mercado, o camponês dirigiu-se diretamente ao palácio e colocou-se exatamente em frente ao aposento do rei. Sua majestade, estando diante de uma janela de onde podia ver tudo o que acontecia na corte, mal colocou os olhos naquele belo pássaro e já mandou um oficial comprá-lo para ele. O oficial, dirigindo-se ao camponês, perguntou-lhe quanto queria por aquele pássaro.

– Se for para sua majestade – respondeu o camponês –, rogo-lhe humildemente que o aceite como presente e desejo que o leve a ele.

O oficial levou o pássaro ao rei, que o achou tão raro que ordenou ao mesmo oficial que pegasse dez moedas de ouro e as levasse ao camponês, que partiu muito satisfeito. O rei ordenou que o pássaro fosse colocado em uma gaiola magnífica e deu-lhe sementes e água em potes caros.

O oficial trouxe a gaiola, e o rei, para que pudesse ver melhor o pássaro, tirou-o de lá e, olhando seriamente para ele, perguntou ao oficial se o vira comer.

– Senhor – respondeu o oficial –, vossa majestade pode observar que o recipiente com a comida ainda está cheio, e ele não tocou em nada.

Então o rei ordenou ao oficial que trouxesse carnes de vários tipos para que pudesse escolher a que mais gostasse.

A mesa foi posta, e o jantar servido exatamente como o rei havia ordenado. O pássaro, batendo suas asas, saltou da mão do rei e voou para a mesa, na qual começou a bicar o pão e os alimentos, às vezes em um prato, às vezes em outro. O rei ficou tão surpreso que imediatamente enviou o oficial para solicitar que a rainha viesse ver aquela maravilha. Assim que ela viu o pássaro, cobriu o rosto com o véu e quis se retirar. O rei, surpreso com a atitude dela, perguntou o motivo.

– Senhor – respondeu a rainha –, vossa majestade ficará surpresa quando compreender que este pássaro não é, como você o considera, um pássaro, mas um homem.

– Senhora – disse o rei, mais surpreso do que antes –, você está zombando de mim. Você nunca me convencerá de que um pássaro pode ser um homem.

— Senhor — respondeu a rainha —, longe de mim zombar de sua majestade; nada é mais certo do que o que tive a honra de lhe dizer. Posso assegurar para vossa majestade que é o rei da Pérsia, chamado Beder, filho da célebre Gulnare, princesa de um dos maiores reinos do mar, sobrinho de Saleh, rei daquele reino, e neto da rainha Farasche, mãe de Gulnare e Saleh. Foi a princesa Giauhara, filha do rei de Samandal, que o transformou em um pássaro. — Para que o rei não duvidasse mais do que ela afirmava, ela lhe contou toda a história, como e por que razão a princesa Giauhara havia se vingado dos maus-tratos provocados pelo rei Saleh ao rei de Samandal, seu pai.

O rei teve menos dificuldade em acreditar nessa afirmação da rainha por saber que ela era uma hábil maga, uma das maiores do mundo. E, como ela sabia de tudo o que acontecia, ele sempre foi informado oportunamente por ela sobre os desígnios dos reis, seus vizinhos, contra ele e os impedia. Sua majestade teve compaixão do rei da Pérsia e implorou fervorosamente à sua rainha que quebrasse o encantamento para que ele pudesse retornar à sua própria forma.

A rainha consentiu com grande disposição.

— Senhor — disse ela ao rei —, tenha o prazer de levar o pássaro para o seu aposento e eu lhe mostrarei um rei digno da consideração que você tem por ele.

O pássaro, que havia parado de comer e ouvido o que o rei e a rainha disseram, não deu à sua majestade o trabalho de levá-lo, então voou para os aposentos, chegando antes do rei; e a rainha entrou logo depois, com uma vasilha cheia de água na mão. Ela pronunciou sobre a vasilha algumas palavras desconhecidas para o rei, até que a água começou a ferver, quando ela então pegou um pouco em sua mão e, borrifando um pouco sobre o pássaro, disse:

– Em virtude dessas sagradas e misteriosas palavras que eu acabei de pronunciar, abandone a forma de pássaro e reassuma aquilo que recebeste do Criador.

As palavras mal haviam saído da boca da rainha quando, em vez de um pássaro, o rei viu surgir um jovem príncipe. O rei Beder imediatamente caiu de joelhos e agradeceu a Deus pelo favor que havia sido concedido a ele. Então ele pegou a mão do rei, que o ajudou a se levantar, e beijou-a em sinal de gratidão, mas o rei o abraçou com grande alegria. Ele então teria feito seus agradecimentos à rainha, mas ela já havia se retirado para seu aposento. O rei o fez sentar-se à mesa com ele e, após o jantar, pediu-lhe que relatasse como a princesa Giauhara tivera a desumanidade de transformar um príncipe tão amável como ele em um pássaro. Quando terminou de contar sua história, o rei, provocado pelo procedimento da princesa, não pôde deixar de culpá-la.

– Foi compreensível – disse ele – que a princesa de Samandal se sentisse magoada com os maus-tratos do rei ao pai, mas levar sua vingança tão longe, especialmente contra um príncipe que não era culpado, não tinha desculpas. Mas vamos acabar com este discurso, e diga-me, eu te imploro, em que mais eu posso servi-lo.

— Senhor — respondeu o rei Beder —, minha obrigação para com vossa majestade é tão grande que devo permanecer com você toda a minha vida para testemunhar minha gratidão; mas já que vossa majestade não impõe limites à sua generosidade, rogo-lhe que me conceda um de seus navios para me levar para a Pérsia, onde temo que minha ausência, que já dura muito tempo, possa ter ocasionado alguma desordem e que a rainha, minha mãe, de quem escondi minha partida, possa estar triste, sem saber se estou vivo ou morto.

O rei concedeu o que o rei Beder desejava com a melhor graça imaginável e imediatamente deu ordens para equipar um de seus maiores navios e o melhor marinheiro de sua numerosa frota. O navio logo foi equipado com toda a sua tripulação, provisões e munições. Assim que o vento ficou bom, o rei Beder embarcou e agradeceu o outro rei por todos os seus favores.

O navio navegou por dez dias. No décimo primeiro dia, o vento mudou e, ficando muito violento, seguiu-se uma furiosa tempestade. O navio não foi apenas desviado de seu curso, mas sacudido com tanta violência que todos os seus mastros caíram no convés e, sendo levado ao sabor do vento, finalmente bateu contra uma rocha e se abriu.

A maior parte das pessoas morreu afogada instantaneamente. Alguns poucos foram salvos nadando e outros se apoiando em pedaços dos destroços. O rei Beder estava entre os últimos e, depois de ter sido levado durante algum tempo pelas ondas e correntes, finalmente percebeu que estava perto da costa e não muito longe de uma cidade que parecia grande. Ele reuniu todas as suas forças para alcançar a terra e, finalmente, teve a sorte de chegar tão perto a ponto de poder tocar o solo com os pés. Ele imediatamente abandonou seu pedaço de madeira, mas, quando chegou perto da costa, ficou muito surpreso ao ver cavalos, camelos, mulas, jumentos, bois, vacas, touros e outros animais aglomerando-se na costa para se opor ao seu desembarque. Ele teve muita dificuldade para conseguir abrir caminho, mas, por fim, conseguiu e se abrigou entre as rochas até recuperar o fôlego e secar suas roupas ao sol.

Ao avançar para entrar na cidade, encontrou a mesma resistência por parte desses animais, que pareciam querer fazê-lo entender que era perigoso prosseguir.

O rei Beder, entretanto, entrou na cidade logo depois e viu muitas ruas bonitas e espaçosas, mas ficou surpreso ao não encontrar nenhum homem ali. Isso o fez pensar que não era sem motivo que tantos animais se opuseram à sua passagem. Mais à frente, no entanto, observou várias lojas abertas, o que lhe deu motivos para acreditar que o local não era tão desprovido de habitantes como ele imaginava. Aproximou-se de uma dessas lojas, na qual vários tipos de frutas estavam expostos à venda, e saudou com muita cortesia um velho que estava sentado ali.

O velho, que estava ocupado com alguma coisa, ergueu a cabeça e, vendo um jovem que tinha uma aparência grandiosa, estremeceu e perguntou-lhe de onde vinha. O rei Beder respondeu em poucas palavras, e o velho perguntou-lhe ainda se ele havia conhecido alguém na estrada.

– Você é a primeira pessoa que vejo – respondeu o rei – e eu não consigo compreender como uma cidade tão bela e grande venha a ficar sem habitantes.

– Entre, senhor, não fique aí – respondeu o velho –, ou talvez algum infortúnio te aconteça. Eu satisfarei sua curiosidade sem pressa e lhe direi o motivo pelo qual você deve tomar esse cuidado.

O rei Beder entrou na loja e sentou-se ao lado do velho. Este sabia que precisava de comida, por isso, imediatamente o presenteou com o que era necessário para recobrar as forças. Embora o rei Beder estivesse muito ansioso para saber por que havia tomado a precaução de fazê-lo entrar na loja, o velho não lhe disse nada até que ele terminasse de comer, por medo de que as coisas tristes que ele tinha que relatar pudessem tirar seu apetite. Por fim, disse-lhe:

– Você tem um grande motivo para agradecer a Deus por ter chegado aqui sem nenhum infortúnio.

– Ai de mim! Por quê? – respondeu o rei Beder, muito surpreso e alarmado.

– Porque – respondeu ele – esta cidade é chamada de Cidade dos Encantamentos e não é governada por um rei, mas por uma rainha, que é uma feiticeira perigosa e notória. Você ficará convencido disso – acrescentou ele – quando souber que esses cavalos, mulas e outros animais que viu são homens como você e eu, os quais ela transformou com sua arte diabólica. E, quando jovens como você entram na cidade, ela tem pessoas posicionadas para detê-los e levá-los, seja por meios justos ou pela força. Ela os recebe da maneira mais amável, presenteia-os e os aloja magnificamente, mas ela não permite que eles desfrutem dessa felicidade. Não há nenhum deles que ela não tenha transformado em algum animal ou pássaro ao cabo de quarenta dias. Você me disse que todos esses animais se opuseram ao seu desembarque e entrada na cidade. Era a única maneira que eles conseguiram para fazê-lo compreender o perigo ao qual se exporia e eles fizeram tudo ao seu alcance para salvá-lo.

Esse relato afligiu muito o jovem rei da Pérsia.

— Ai de mim! — exclamou ele. — A que extremos a minha má sorte me reduziu! Mal me livrei de um encantamento, para o qual olho para trás com horror, e me vejo exposto a outro muito mais terrível.

Isso lhe deu oportunidade de contar sua história ao velho mais detalhadamente, de sua paixão pela princesa de Samandal e sua crueldade em transformá-lo em um pássaro no exato momento em que ele declarou seu amor por ela.

Quando o príncipe falou de sua boa sorte em encontrar uma rainha que quebrasse o encantamento, o velho, para encorajá-lo, disse:

— Apesar de tudo que eu disse a você sobre a rainha mágica, isso não deve causar a menor inquietação, visto que geralmente sou amado em toda a cidade e não sou desconhecido pela própria rainha, que tem muito respeito por mim.

Portanto, foi uma sorte singular que você se dirigisse a mim e não a outro lugar. Você está seguro em minha casa, onde eu o aconselho a continuar, se achar conveniente, e, desde que você não se desvie daqui, atrevo-me a garantir que você não terá um motivo justo para reclamar.

O rei Beder agradeceu ao velho por sua amável recepção e pela proteção que ele tinha o prazer de lhe oferecer. Sentou-se à entrada da loja, onde mal aparecera e já atraíra a atenção de todos com sua beleza. Muitos pararam e elogiaram o velho por ter adquirido um escravo tão belo, como imaginavam que o rei fosse.

– Não acreditem – disse o velho – que ele seja um escravo, todos vocês sabem que não sou rico o suficiente. Ele é meu sobrinho, filho de um irmão meu que está morto, e, como eu não tenho filhos, mandei chamá-lo para me fazer companhia.

Eles parabenizaram sua boa sorte em ter um jovem tão bom como parente, mas não puderam deixar de dizer-lhe que temiam que a rainha o tirasse dele.

– Você a conhece bem – disseram eles – e não pode ignorar o perigo a que o jovem está exposto, depois de todos os exemplos que viu.

– Fico grato – respondeu o velho – por sua boa vontade comigo e agradeço de coração por sua atenção, mas nunca terei o menor pensamento de que a rainha me fará algum mal, depois de toda a bondade que ela professou por mim. Caso ela fique sabendo desse jovem e me fale sobre ele, não tenho dúvidas de que ela o deixará em paz quando souber que ele é meu sobrinho.

O velho ficou extremamente feliz ao ouvir os elogios que fizeram ao jovem rei da Pérsia. Ele passou a gostar dele como se fosse seu próprio filho. Eles tinham vivido cerca de um mês juntos quando o rei Beder, sentado à porta da loja, viu a rainha Labe (assim se chamava esta rainha mágica) passando por acaso com grande pompa. O jovem rei percebeu que os guardas se aproximavam dela, levantou-se e, entrando na loja, perguntou ao velho o que significava aquilo.

– A rainha está chegando – respondeu ele –, mas fique parado e não tema nada.

Os guardas da rainha, vestidos de uniforme púrpura e bem armados e montados, marcharam em quatro filas, com seus sabres desembainhados, e cada um de seus oficiais, ao passar pela loja, saudou o velho. Eles marcharam solenemente com suas lanças nas mãos e, no meio deles, apareceu a rainha Labe, em um cavalo adornado com diamantes, uma sela de ouro e um arreio de valor inestimável. A rainha, impressionada com o bom semblante do rei Beder, parou assim que se aproximou da loja.

– Abdallah (assim se chamava o velho) – disse ela –, diga-me, eu te imploro, esse belo e encantador escravo pertence a você? Faz muito tempo que o possui?

Abdallah, antes de responder à rainha, atirou-se ao chão e, levantando-se novamente, disse:

– Senhora, trata-se de meu sobrinho, filho de um irmão que tive, que morreu há pouco tempo. Não tendo filhos, considero-o como meu filho e mandei chamá-lo para me confortar, com a intenção de deixar-lhe o que tenho quando morrer.

A rainha Labe, que ainda não tinha visto ninguém que se comparasse ao rei Beder, pensou imediatamente em fazer o velho deixá-lo com ela.

– Você me daria este jovem de presente? Não me recuse, eu lhe peço, e eu juro pelo fogo e pela luz que vou torná-lo tão grande e poderoso que nenhum indivíduo no mundo jamais teve tanta sorte. Embora meu propósito seja fazer o mal a toda a humanidade, ele será a única exceção. Espero que você me conceda o que desejo pela amizade que sei que você tem por mim.

– Senhora – respondeu o bom Abdallah –, sou infinitamente grato à vossa majestade por toda a sua bondade e às honras que se propõe a fazer ao meu sobrinho. Ele não é digno de se aproximar de uma rainha tão grande, e eu humildemente imploro à sua majestade que não perca seu tempo com ele.

– Abdallah – respondeu a rainha –, o tempo todo você dizia que me amava, mas hoje vejo que não era verdade, pois está desprezando meu pedido. Eu aqui juro mais uma vez pelo fogo e pela luz, e mesmo por tudo o que é mais sagrado em minha religião, que não irei adiante até que o tenha convencido. Eu entendo muito bem o que desperta suas apreensões, mas prometo que você nunca se arrependerá por ter feito uma escolha tão sensata.

O velho Abdallah ficou extremamente triste por ser forçado a obedecer à rainha.

– Senhora – respondeu ele –, eu não gostaria que sua majestade nutrisse uma opinião negativa sobre o respeito que tenho por você e meu zelo em sempre fazer o que puder para agradá-la. Eu confio inteiramente em sua palavra real e não tenho a menor dúvida de que você a manterá. Imploro apenas à vossa majestade que espere um pouco para levar meu sobrinho nessa tarefa tão honrosa.

– Virei amanhã – disse a rainha, que inclinou a cabeça, indicando que estava satisfeita, e foi em direção ao seu palácio.

Quando a rainha Labe e todos os seus assistentes sumiram de vista, o bom Abdallah disse ao rei Beder:

– Filho – pois era assim que o velho costumava chamá-lo –, não estava em meu poder, como você deve ter observado, recusar à rainha o que ela exigiu de mim com tanta seriedade, por medo de que eu pudesse forçá-la a empregar sua magia contra você e contra mim, aberta ou secretamente, e tratá-lo por ressentimento com a mais evidente crueldade do que todos aqueles que ela teve em seu poder antes. Mas tenho alguns motivos para acreditar que ela vai tratá-lo bem, como prometeu, por causa dessa estima particular que tem por mim. Isso você deve ter percebido pelo respeito demonstrado e pelas honras que me foram prestadas por toda a sua corte. Ela seria realmente uma criatura demoníaca se me enganasse.

Essas garantias, que pareciam muito duvidosas, não foram suficientes para levantar o ânimo do rei Beder.

– Depois de tudo que você me contou sobre a maldade dessa rainha – respondeu ele –, como poderia não a temer? Sei por experiência o que é estar à mercê de uma feiticeira. A condição em que me encontrava, por meio do encantamento da princesa Giauhara, me faz olhar para tal destino com horror.

– Filho – respondeu o velho Abdallah –, não se aflija, pois, embora eu deva reconhecer que não há grande fé a ser depositada nas promessas e nos juramentos de uma rainha tão pérfida, ainda assim devo dizer-lhe que o poder dela não se estende a mim. Ela sabe disso muito bem e é por essa razão que ela me presta tanto respeito. Posso rapidamente impedir que lhe faça mal se ela for pérfida o suficiente para tentar. Você pode confiar em mim e, desde que siga exatamente o conselho que eu lhe darei antes de entregá-lo, ela não terá poder sobre você, como não tem sobre mim.

A rainha mágica não deixou de passar pela loja do velho no dia seguinte, com a mesma pompa da véspera, e Abdallah a esperava com muito respeito.

– Senhor – exclamou ela, parando diante dele –, pode notar minha impaciência por ter seu sobrinho comigo, por ter vindo pontualmente para lembrá-lo de sua promessa. Eu sei que você é um homem de palavra e sei que não irá quebrar a promessa que fez.

Abdallah, que caíra de cara no chão assim que viu a rainha se aproximando, levantou-se quando ela acabou de falar e, como ele não queria que ninguém ouvisse o que ele pretendia dizer a ela, avançou com grande respeito até ela e então disse suavemente:

– Poderosa rainha! Estou persuadido de que sua majestade não se ofenderá com minha aparente relutância em confiar-lhe meu sobrinho, visto que você não pode ignorar as razões que tenho para isso, mas eu imploro que deixe de lado os segredos dessa arte que você possui em um grau tão maravilhoso. Eu considero meu sobrinho como meu próprio filho, e sua majestade me deixaria desesperado se o tratasse como os outros.

– Eu prometo que não – respondeu a rainha – e repito mais uma vez o juramento que fiz ontem, de que nem você nem seu sobrinho terão motivos para se ofender. Vejo claramente – acrescentou ela – que você ainda não me conhece bem. Você nunca me viu sem ser através de um véu, mas, como acho seu sobrinho digno de minha amizade, vou lhe mostrar que não sou, de forma alguma, indigna dele.

Com isso, ela tirou o véu e mostrou ao rei Beder, que se aproximou dela com Abdallah, sua beleza incomparável.

O rei Beder ficou um pouco encantado. "Não é suficiente" – pensou ele – "ser bela; as ações de alguém devem corresponder à sua beleza física". Enquanto o rei Beder fazia essas reflexões, com os olhos fixos na rainha Labe, o velho se virou para ele e, pegando-o pelo braço, apresentou-o à vossa majestade.

— Aqui está ele, senhora — disse ele —, e eu imploro à vossa majestade mais uma vez que lembre que é meu sobrinho e que o deixe vir me ver algumas vezes.

A rainha prometeu que sim e, para dar mais uma demonstração de sua gratidão, ordenou que um saco de mil moedas de ouro fosse dado ao velho. A princípio, ele se desculpou e não quis aceitá-las, mas ela insistiu até que ele não pôde mais recusar. Ela também havia mandado trazer um cavalo (tão ricamente adornado quanto o dela) para o rei da Pérsia. A rainha e o rei Beder então começaram seu trajeto ao palácio.

Em vez de observar uma satisfação no rosto das pessoas ao verem sua soberana, o rei Beder percebeu que elas a olhavam com desprezo e até a amaldiçoavam.

— A feiticeira — disseram alguns — tem um novo sujeito sobre o qual exercer sua maldade; o Céu nunca livrará o mundo de sua tirania?

— Pobre estranho! — gritaram outros. — Você está muito enganado se pensa que sua felicidade durará muito. É apenas para tornar a tua queda mais terrível que foste alçado tão alto.

Essas falas fizeram o rei Beder entender que Abdallah não lhe contara nada além da verdade sobre a rainha Labe, mas, como agora não dependia mais de si mesmo para escapar do mal, ele resolveu respeitar seu destino.

A rainha chegou ao seu palácio. Ela desceu do cavalo e, dando a mão ao rei Beder, entrou com ele, acompanhada por suas damas e pelos oficiais. Ela mesma mostrou a ele todos os seus aposentos, nos quais não havia nada para ser visto, exceto ouro maciço, pedras preciosas e móveis de magnificência maravilhosa. Então ela o conduziu para uma varanda, de onde ele observou um jardim de beleza surpreendente. O rei Beder elogiou tudo o que viu, a fim de que não fosse descoberto que ele não era, de fato, sobrinho do velho Abdallah. Eles conversaram sobre assuntos indiferentes, até que a rainha foi informada de que o jantar estava sobre a mesa.

A rainha e o rei Beder sentaram-se à mesa, que era de ouro maciço, assim como os pratos e talheres. Eles começaram a comer, mas quase não beberam até a sobremesa chegar, quando a rainha pegou uma taça de vinho e brindou ao seu convidado.

Ao mesmo tempo, dez servas da rainha Labe entraram com instrumentos musicais, com os quais fizeram um agradável concerto. Por fim, o rei Beder se esqueceu de que estava envolvido com uma rainha mágica e olhou para ela apenas como a rainha mais linda que já viu.

Na manhã seguinte, as servas que o haviam servido presentearam o rei Beder com linho fino e um manto magnífico. A rainha, que estava mais esplendidamente vestida do que no dia anterior, veio recebê-lo, e eles foram juntos para seus aposentos, onde comeram e depois passaram o resto do dia caminhando pelo jardim.

A rainha Labe tratou o rei Beder dessa maneira por quarenta dias, como estava acostumada a fazer com todos os outros. Na quadragésima noite, ela se levantou sem fazer barulho e entrou no quarto dele, mas ele estava acordado e, percebendo que ela havia planejado algo, observou todos os seus movimentos. Ela abriu um baú, do qual tirou uma caixinha cheia de um pó amarelo. Pegando um pouco do pó, ela o espalhou pelo chão, e imediatamente um riacho de água surgiu, para grande espanto do rei Beder. Ele tremia de medo, mas ainda fingia dormir para que a feiticeira não descobrisse que estava acordado.

A seguir, a rainha Labe pegou um pouco da água em uma vasilha e despejou em uma bacia, na qual havia farinha, com a qual fez uma pasta, e amassou por um longo tempo. Então ela misturou certas poções, que ela tirou de caixas diferentes, e fez um bolo, que colocou em uma assadeira coberta. Como se preocupara antes de mais nada em fazer uma boa fogueira, pegou um pouco das brasas, pôs a panela sobre elas e, enquanto o bolo estava assando, colocou os recipientes e as caixas em seus lugares novamente. Ao pronunciar certas palavras, o riacho, que corria ao longo do fundo da sala, desapareceu. Quando o bolo estava pronto, ela o tirou das brasas e levou-o para o quarto, sem a menor suspeita de que ele tivesse visto alguma coisa do que ela fizera.

O rei Beder, que já havia se esquecido de seu bom anfitrião Abdallah, começou agora a pensar nele novamente e acreditou que ele tinha mais do que motivos para dar seus conselhos, depois de tudo que vira a rainha fazer naquela noite. Assim que se levantou, portanto, expressou grande desejo de ir ver seu tio e implorou à sua majestade que permitisse.

— Meu querido Beder — exclamou a rainha —, então você já está cansado não apenas de viver em um palácio tão magnífico como o meu, onde você deve encontrar tantos prazeres, mas também da companhia de uma rainha que gosta tanto de você como eu?

— Grande rainha! — respondeu o rei Beder. — Como posso estar cansado de tantos favores e graças que sua majestade me dá? Devo admitir, porém, que é em parte por essa razão que, sabendo que meu tio me ama e que estou há quarenta dias sem vê-lo nenhuma vez, você entenderia e me daria permissão para vê-lo.

— Vá — disse a rainha —, você tem meu consentimento, mas não demore muito para voltar.

Dito isso, ela ordenou que trouxessem um cavalo ricamente adornado e ele partiu.

O velho Abdallah ficou radiante ao ver o rei Beder. Assim que se sentaram, Abdallah disse:

— Como vai você e como tem passado o seu tempo com aquela feiticeira infiel?

— Até agora — respondeu o rei Beder —, devo reconhecer que ela tem sido extraordinariamente boa comigo, mas observei algo ontem à noite que me dá motivos para suspeitar que toda a sua gentileza até agora não passa de dissimulação.

Ele contou a Abdallah como e de que maneira a vira fazer o bolo e depois acrescentou:

— Até agora, devo confessar que quase me esqueci não só de você como de todos os conselhos que me deu sobre a maldade dessa rainha, mas sua última ação me deu motivos para temer que ela não pretende cumprir nenhuma de suas promessas. Pensei em você imediatamente e me considero feliz por ter obtido permissão para vir aqui.

– Você não está enganado – respondeu o velho Abdallah com um sorriso, o que mostrava que ele próprio não acreditava que ela agisse de outra forma –, nada é capaz de obrigar uma pessoa traiçoeira a cumprir sua palavra, mas não tema nada. Eu sei como fazer cair sobre ela mesma o mal que pretende infligir sobre você. A melhor coisa que você fez foi recorrer a mim. É uma prática comum ela manter seus amantes por apenas quarenta dias e, depois disso, em vez de mandá-los para casa, transformá-los em animais, para abastecer suas florestas e parques, mas pensei ontem em medidas para evitar que ela lhe cause o mesmo mal. A terra já carregou esse monstro por tempo suficiente e agora é hora de ela ser tratada como merece.

Dizendo isso, Abdallah colocou dois bolos nas mãos do rei Beder, ordenando-lhe que os guardasse para usar da forma indicada.

– Você me disse – continuou ele – que a feiticeira fez um bolo na noite passada. Era para você comer, pode ter certeza, mas tome muito cuidado para não tocar nele. No entanto, não se recuse a recebê-lo quando ela o oferecer a você, mas, em vez de prová-lo, quebre parte de um dos dois bolos que eu dei a você sem que ela perceba e coma. Assim que ela achar que você o engoliu, não deixará de tentar transformá-lo em algum animal, mas não terá sucesso. Quando ela vir que não teve efeito, vai imediatamente tentar fingir que era uma brincadeira, como se o que ela fizesse fosse apenas para assustar você, mas ela vai esconder uma tristeza mortal em seu coração e pensar que omitiu algo na composição do bolo. Quanto ao outro bolo, você deve dá-lo de presente para ela e pressioná-la a comê-lo, o que ela não recusará, nem que seja apenas para convencê-lo de que confia em você, embora tenha lhe dado tantos motivos para desconfiar dela. Quando ela tiver comido, pegue um pouco de água na palma da sua mão e, jogando-a na cara dela, diga: "Saia dessa forma que você veste agora e pegue a de tal animal, como você achar adequado". Feito isso, venha a mim com o animal e eu lhe direi o que deve fazer depois.

O rei Beder agradeceu a Abdallah de forma calorosa, despediu-se e voltou ao palácio. Ao chegar, percebeu que a rainha o esperava com grande impaciência no jardim. Ele foi até ela e, assim que o percebeu, ela foi com muita pressa encontrá-lo.

– Meu caro Beder! – disse ela. – Parece que há séculos que me separei de você. Se você tivesse demorado um pouco mais, eu já estaria me preparando para ir buscá-lo.

– Senhora – respondeu o rei Beder –, posso assegurar à vossa majestade que não estava menos impaciente para encontrá-la, mas não podia deixar de ficar mais um pouco com um tio que me ama e há muito tempo não me via. Ele teria me mantido ainda mais tempo, mas eu me afastei dele para ir onde o amor me chama. De tudo o que ele preparou para mim, só trouxe este bolo, que desejo que vossa majestade aceite.

O rei Beder deu o bolo à rainha, dizendo:

– Peço à vossa majestade que aceite.

– Aceito de todo o coração – respondeu a rainha – e comê-lo-ei com prazer por sua causa e por seu bom tio, mas, antes de prová-lo, desejo que coma um pedaço deste bolo que fiz para você durante sua ausência.

– Bela rainha – respondeu o rei Beder, recebendo-o com grande respeito –, não posso reconhecer suficientemente o quanto você me trata bem.

O rei Beder então habilmente substituiu o bolo da rainha pelo outro que o velho Abdallah lhe dera e, partindo um pedaço, colocou-o na boca e gritou, enquanto comia:

– Ah! Rainha, nunca provei nada tão encantador em minha vida.

Ao vê-lo engolir um pedaço do bolo, ela pegou um pouco de água na palma da mão, jogou-a na cara do rei e disse:

– Desgraçado! Abandone a forma de homem e tome a de um cavalo vil, cego e coxo.

Essas palavras não surtiram o efeito desejado, e a feiticeira ficou estranhamente surpresa ao encontrar o rei Beder ainda na mesma forma, apenas assustado. Suas bochechas ficaram vermelhas e, quando viu que errara o alvo, disse:

– Querido Beder – exclamou ela –, isso não é nada. Eu não pretendia fazer nenhum mal a você, foi uma brincadeira para ver o que você diria.

— Rainha — respondeu o rei Beder —, estou certo de que o que vossa majestade fez foi apenas para se divertir, mas não pude deixar de ficar surpreso. Mas senhora — continuou ele —, deixe-nos esquecer isso e, já que eu comi o seu bolo, você me faria o favor de provar o meu?

A rainha Labe, que não poderia se justificar melhor do que mostrar este ato de confiança, partiu um pedaço do bolo e o comeu. Assim que o engoliu, ela pareceu muito perturbada e permaneceu imóvel. O rei Beder não perdeu tempo, tirou a água da mesma bacia e, jogando-a em seu rosto, gritou:

— Feiticeira abominável! Abandone a forma de mulher e seja instantaneamente transformada em uma égua.

No mesmo instante, a rainha Labe se transformou em uma égua muito bonita. Sua confusão foi tão grande ao se encontrar naquela condição que ela começou a chorar, o que talvez nenhuma égua antes tivesse feito. Ela curvou a cabeça aos pés do rei Beder, pensando em movê-lo à compaixão, mas, embora ele pudesse até se comover, estava absolutamente fora de seu poder reparar o mal que havia cometido. Ele a conduziu para o estábulo pertencente ao palácio e a colocou nas mãos de um cavalariço para que colocasse rédeas e sela, mas, de todas as rédeas que experimentaram, nenhuma cabia nela. Por fim, o cavalariço levou a égua atrás dele até a casa do velho Abdallah.

Abdallah, ao ver o rei Beder vindo com a égua, teve certeza de que fizera o que ele aconselhou.

– Feiticeira odiosa! – disse ele imediatamente em um êxtase de alegria. – O céu finalmente a puniu como você merece.

O rei Beder desceu na porta de Abdallah e entrou na loja, abraçando-o e agradecendo por todos os conselhos que ele havia dado. Ele contou a Abdallah toda a história e disse-lhe que não conseguia encontrar nenhuma rédea adequada para a égua. Abdallah, que tinha uma para cada cavalo, colocou uma na égua e disse-lhe:

– Meu senhor, você não tem razão para ficar mais nesta cidade: monte na égua e volte ao seu reino.

O rei Beder se despediu do bom velho e partiu.

Mal o jovem rei da Pérsia saiu da cidade, começou a refletir com alegria sobre sua libertação e sobre como tinha a feiticeira em seu poder, a qual lhe dera tantos motivos para tremer. Três dias depois de chegar a uma grande cidade, encontrou um venerável velho.

– Senhor – disse o velho, interrompendo-o –, posso ousar perguntar de que parte do mundo você vem?

O rei parou para lhe contar e, enquanto conversavam, uma velha apareceu, que, parando também, chorou e suspirou amargamente ao ver a égua.

O rei Beder e o velho pararam de conversar para olhar para a velha, a quem o rei perguntou por que motivo ela lamentava tanto.

– Ai de mim! Senhor – respondeu ela –, é porque sua égua se parece perfeitamente com a que meu filho tinha e até hoje lamento sua perda. Venda-a para mim, eu te suplico, eu te darei mais do que ela vale e serei eternamente grata.

– Boa mulher – respondeu o rei Beder –, lamento sinceramente não poder atender ao seu pedido, mas minha égua não pode ser vendida.

– Senhor – continuou a velha –, não me recuse este favor. Meu filho e eu certamente morreremos de tristeza se você não conceder.

– Boa mãe – respondeu o rei –, eu a concederia de todo o meu coração se estivesse disposto a me separar de um animal tão bom, mas, se eu estivesse disposto, acredito que dificilmente você daria mil moedas de ouro por ela, e eu não poderia vendê-la por menos.

– Por que eu não deveria dar tanto? – respondeu a velha. – Se esse for o preço mais baixo, basta dizer e eu lhe trarei o dinheiro.

O rei Beder, vendo a velha tão mal vestida, não podia imaginar que ela pudesse ter aquele dinheiro e, para testá-la, ele disse:

– Vá, traga-me o dinheiro, e a égua é sua.

A velha imediatamente abriu uma bolsa que tinha amarrada ao cinto e pediu-lhe que contasse o dinheiro, dizendo que, caso faltasse alguma coisa, sua casa não ficava longe e ela poderia rapidamente buscar o resto.

A surpresa do rei Beder ao ver a bolsa não foi pequena.

– Boa mulher – disse ele –, não percebe que estou zombando de você esse tempo todo? Garanto-lhe que minha égua não pode ser vendida.

O velho, que testemunhou tudo o que foi dito, começou a falar.

– Filho – disse ele ao rei Beder –, é necessário que você saiba uma coisa que eu acho que você não sabe: nesta cidade, não é permitido mentir a ninguém, seja pela razão que for, sob pena de morte. Você terá que dar a égua à mulher assim que ela lhe apresentar o dinheiro, e é melhor que faça isso sem qualquer ruído do que se expor ao que pode acontecer.

O rei Beder ficou extremamente aflito por se encontrar preso à sua oferta precipitada. A velha agarrou as rédeas e imediatamente, pegando um pouco de água em um riacho que corria no meio da rua, jogou na cara do animal, proferindo estas palavras:

– Filha, saia dessa forma estranha e reassuma a sua.

A transformação ocorreu em um segundo, e o rei Beder, que desmaiou assim que viu a rainha Labe aparecer, teria caído no chão se o velho não o tivesse segurado.

A velha, que era mãe da rainha Labe e a instruíra em todos os seus segredos mágicos, abraçou a filha e assoviou. Imediatamente, surgiu um gênio gigante. Esse gênio pegou o rei Beder com um braço e a velha e a rainha mágica com o outro, e os transportou em poucos minutos para o palácio da rainha Labe na Cidade dos Encantamentos.

A rainha mágica imediatamente falou com o rei Beder.

– É assim, desgraçado ingrato – disse ela –, que você e seu tio indigno me retribuem por todas as gentilezas que fiz por você? Logo farei com que vocês dois sintam o que merecem. Ela não disse mais nada, mas, pegando água na mão, jogou-a na cara dele com estas palavras:

— Saia dessa forma e se transforme em uma coruja vil.

Essas palavras foram seguidas pelo efeito desejado. Imediatamente ela ordenou a uma de suas servas que colocasse a coruja em uma gaiola e não lhe desse comida nem bebida.

A mulher pegou a gaiola e, sem se importar com o que a rainha ordenou, deu-lhe de comer e beber. Sendo amiga do velho Abdallah, ela enviou um recado contando como a rainha tratara seu sobrinho e sobre seu plano de matar os dois, para que ele pudesse tentar se salvar.

Abdallah sabia que nenhuma medida comum seria suficiente para evitar a fúria da rainha Labe. Ele, portanto, apenas assobiou de uma certa maneira, e imediatamente surgiu um gênio gigante, com quatro asas, que se apresentou diante dele e perguntou o que ele queria.

— Relâmpago — disse Abdallah a ele (pois assim se chamava o gênio) —, eu ordeno que você preserve a vida do rei Beder, filho da rainha Gulnare. Vá ao palácio da rainha mágica e transporte imediatamente para a capital da Pérsia a mulher compassiva que está com a gaiola sob custódia, para que ela possa informar à rainha Gulnare sobre o perigo que o rei, seu filho, corre e como ele precisa de sua ajuda.

Relâmpago desapareceu imediatamente e chegou em um instante ao palácio da rainha mágica. Ele instruiu a mulher, ergueu-a no ar e transportou-a para a capital da Pérsia, onde a colocou no terraço perto do aposento da rainha Gulnare. Ela desceu para o aposento e lá encontrou a rainha Gulnare e a rainha Farasche, sua mãe, lamentando seus infortúnios. A mulher então lhes fez uma profunda reverência e elas logo compreenderam a grande necessidade que o rei Beder tinha de sua ajuda.

A rainha Gulnare ficou tão feliz com a notícia que, levantando-se, foi e abraçou a boa mulher, dizendo-lhe o quanto ela agradecia pelo serviço que prestara.

Então, saindo imediatamente, ela ordenou que as trombetas informassem à cidade que o rei da Pérsia voltaria em segurança para seu reino. Ela então foi ao encontro do rei Saleh, seu irmão, o qual a rainha Farasche havia feito ir rapidamente para lá.

– Irmão – disse ela –, o rei, seu sobrinho, meu querido filho, está na Cidade dos Encantamentos, sob o poder da rainha Labe. Você e eu devemos ir libertá-lo, pois não há tempo a perder.

O rei Saleh imediatamente reuniu um poderoso batalhão naval, que logo emergiu do mar. Ele também chamou em seu auxílio os gênios, seus aliados, que apareceram com um exército muito mais numeroso do que o seu. Assim que os dois exércitos se uniram, ele se colocou à frente deles, com a rainha Farasche, a rainha Gulnare e as princesas. Eles então voaram pelo ar e logo caíram sobre o palácio e a Cidade dos Encantamentos, onde a rainha mágica, a sua mãe e todos os adoradores do fogo foram destruídos em um instante.

A rainha Gulnare ordenou à mulher que lhe trouxera a notícia da transformação e da prisão de seu filho que a seguisse de perto e, no meio da confusão, agarrasse a gaiola e a trouxesse para ela. Essa ordem foi executada como ela desejava. Assim que a rainha Gulnare estava de posse da gaiola, ela a abriu e tirou a coruja, dizendo, enquanto jogava um pouco de água sobre ela:

– Meu querido filho, saia dessa forma estranha e retome sua forma natural de homem.

Em um instante, a rainha Gulnare não viu mais a horrenda coruja, mas o rei Beder, seu filho. Ela imediatamente o abraçou com grande alegria. Depois dela, ele foi igualmente abraçado pelo rei, seu tio, e por seus parentes.

O primeiro cuidado da rainha Gulnare foi cuidar do velho Abdallah, a quem ela devia muito pelo resgate do rei da Pérsia. Ao ser levado a ele, ela disse:

– Minhas obrigações com você, senhor, são tão grandes que não há nada em meu poder que eu não faria livremente por você, como um símbolo de meu reconhecimento. Apenas diga-me em que posso servi-lo.

– Grande rainha – respondeu Abdallah –, se a senhora que enviei à sua majestade consentir no casamento que eu ofereço a ela e se o rei da Pérsia me conceder autorização para residir em sua corte, gastarei o restante dos meus dias a seu serviço.

Então a rainha voltou-se para a senhora, que estava presente, e descobriu que ela aceitava o casamento proposto.

Esse casamento fez o rei da Pérsia falar com a rainha:

— Senhora — disse ele —, estou profundamente contente com esse casamento que vossa majestade acaba de fazer, porém há mais um que desejaria que acontecesse.

A rainha Gulnare, a princípio, não compreendeu o que ele queria dizer com casamento, mas, depois de pensar um pouco, ela disse:

— Do seu, você quer dizer, filho? Eu consinto com todo o meu coração.

Em seguida, virando-se e olhando para os criados de seu irmão e os gênios que ainda estavam presentes, disse:

— Vá e atravessem o mar e a terra para descobrir a princesa mais adorável e amável, digna do rei, meu filho, e venham nos contar.

— Senhora — respondeu o rei Beder —, é inútil que eles se esforcem tanto. Sem dúvida, você ouviu que já entreguei meu coração à princesa de Samandal. Em suma, nem a terra nem o mar, em minha opinião, podem me dar uma princesa como ela. É verdade que ela me tratou de uma forma que teria extinto qualquer afeto menos forte do que o meu, mas eu não a culpo. Ela não podia me tratar com menos rigor, depois de eu fazer o pai dela ser preso. Mas pode ser que o rei de Samandal tenha mudado de ideia e sua filha, a princesa, possa consentir em me amar quando vir que seu pai concordou com isso.

— Filho — respondeu a rainha Gulnare —, se a princesa Giauhara puder te fazer feliz, não é minha intenção me opor a você. O rei, seu tio, só precisa que o rei de Samandal seja trazido e logo veremos se ele ainda tem o mesmo temperamento intratável.

Mesmo com a forma rigorosa como o rei de Samandal fora mantido durante seu cativeiro por ordens do rei Saleh, ele sempre teve grande respeito por ele e ficou muito familiarizado com os oficiais que o protegiam. O rei Saleh mandou trazer uma vasilha com carvão, na qual lançou uma certa mistura, pronunciando ao mesmo tempo algumas palavras misteriosas. Assim que a fumaça começou a subir, o palácio estremeceu e imediatamente o rei de Samandal, com os oficiais do rei Saleh, apareceram. O rei da Pérsia lançou-se aos pés do rei de Samandal e, ajoelhando-se, disse:

– Não é mais o rei Saleh que exige de sua majestade a honra de sua aliança para o rei da Pérsia, é o próprio rei da Pérsia que humildemente implora por essa bênção e tenho certeza de que sua majestade não persistirá em ser a causa da morte de um rei que não pode mais viver se não compartilhar a vida com a amável princesa Giauhara.

O rei de Samandal não permitiu que o rei da Pérsia permanecesse a seus pés por muito tempo. Ele o abraçou e, obrigando-o a se levantar, disse:

– Eu lamentaria muito ter contribuído para a morte de um monarca que é tão digno de viver. Se é verdade que uma vida tão preciosa não pode ser preservada sem minha filha, poderá casar-se com ela, se ela não se opuser.

Dizendo essas palavras, ele ordenou a um de seus oficiais, a quem o rei Saleh permitira que o cercasse, que fosse procurar a princesa Giauhara e a trouxesse imediatamente.

O oficial logo a encontrou e a trouxe com suas servas. O rei de Samandal a abraçou e disse:

– Filha, encontrei um marido para você; é o rei da Pérsia, o monarca mais talentoso atualmente no universo. A preferência que ele deu a você sobre todas as outras princesas nos obriga a expressar nossa gratidão.

– Senhor – respondeu a princesa Giauhara –, espero que o rei da Pérsia se esqueça de como o maltratei e considere que foi o dever, não a vontade, que me forçou a isso.

O casamento foi celebrado no palácio da Cidade dos Encantamentos, com a maior solenidade, por todos que a rainha mágica havia transformado em animais, os quais retomaram suas formas originais tão logo ela deixou de viver. Eles eram todos filhos de reis ou príncipes ou pessoas de alta posição.

Por fim, o rei Saleh conduziu o rei de Samandal aos seus domínios e devolveu a posse deles. O rei da Pérsia voltou para sua capital com a rainha Gulnare, a rainha Farasche e as princesas; e a rainha Farasche e as princesas continuaram lá até que o rei Saleh veio para reconduzi-las ao seu reino sob as ondas do mar.

Referências

HAUFF, Wilhelm & Grand, Elena N. The History of Caliph Stork. Arabic Folktale: **Oriental Story**. CreateSpace Independent Publishing Platform, 2017.

HASAN EL-SHAMY. Folklore of the Arab World. Department of Folklore and Ethnomusicology, Indiana University. Indiana, Dezembro 2017.

HOYLAND, Robert G. Arabia and the arabs - from the bronze age to the coming of Islam. Disponível em: <https://www.routledge.com/Arabia-and-the-Arabs-From-the-Bronze-Age-to-the-Coming-of-Islam/Hoyland/p/book/9780415195355>. Acesso em abril de 2021.

LANG, Andrew. The Arabian Nights Entertainments. CreateSpace Independent Publishing Platform, 2008.

Contos originalmente compilados por Antoine Galland em *Les mille et une nuits*, na edição final de 1717.

Os contos "Ameen and the Ghool", "The Adventures of the Beggar's Son", "The Cobbler Astrologer", "The Man who never Laughed", "The Perfidious Vizier", "The Tomb of Noosheerwân", "The Traveller's Adventure", "The Two Cats", podem ser encontrados em:

SALLIS. E. K. Identity in Diversity: The Thousand and One Nights in English. Thesis (Ph.D.)--University of Adelaide, Dept. of English. Adelaide, 1997. Disponível em: <https://digital.library.adelaide.edu.au/dspace/handle/2440/18792>. Acesso em abril de 2021.

TIBBITTS, Charles John. Folk-Lore and Legends: Oriental.
W. W. Gibbings. Londres, 1889.

WEBB. Peter. The origin of Arabs: Middle Eastern ethnicity and myth-making. The British Academy. Julho de 2016. Disponível em: <https://www.thebritishacademy.ac.uk/documents/843/BAR27-10-Webb-reduced_0.pdf>. Acesso em abril de 2021.

INFORMAÇÕES SOBRE NOSSAS PUBLICAÇÕES
E ÚLTIMOS LANÇAMENTOS

instagram.com/pandorgaeditora

facebook.com/editorapandorga

editorapandorga.com.br